新 潮 文 庫

本所しぐれ町物語

藤沢周平著

新 潮 社 版

4529

目次

本所しぐれ町物語

鼬《いたち》の道

一

「どうも近ごろは、意気地《いくじ》がなくなりました」

と書役《かきやく》の万平が言った。

「ちょっと寒くなると、たちまち足が痛みましてな」

「足ですか」

大家《おおや》の清兵衛《せいべえ》は、炭をつぎ足していた箱火鉢《はこひばち》の上から顔を上げた。炭を足すなどという仕事は、番人の善六がするのだが、善六は名主《なぬし》のところに使いに行っていた。

「そうです。この足ですよ」

と万平は言って膝《ひざ》をさすった。万平は丸顔の大柄《おおがら》な男で、今年五十八になる。

「奇体なものです。あたたかいうちはころっと忘れているのに、ある朝眼《め》がさめて、今朝は少し冷えるようだと思うと、もう足が痛くなっている」

「……」

「毎年同じ場所ですから、持病ですな。ほんとに厭《いや》になります」

「誰《だれ》だって年取ると……」

清兵衛はつぎ足した炭が熅《いぶ》り出したのを、手ではらった。だがそれでは間に合わず、部屋の中に眼と鼻を刺戟《しげき》する青白いけむりが充満した。

清兵衛は身軽に立って土間におりると町名と自身番を書きわけてある表の腰障子をあけた。外は曇りで、九月の終りの底冷えするような白い光が土間に入って来た。

清兵衛は四十六で、瘦《や》せぎすの身体《からだ》にもちょっとした動作にも、まだ若々しい感じが残っている。部屋の中にもどると、さっき言いかけた言葉をつづけた。

「年取れば、誰だって身体が弱って来ます。いちいち気にしない方がいいですよ、加賀屋さん」

と清兵衛は言ったが、加賀屋という万平の店は、十年ほど前に潰《つぶ》れている。加賀屋は、いまは万平の通称にすぎなかった。

「あたしなんかも、一度腰を痛めてからはこわくて重い物は持てなくなりました。そりゃ、こんなふうにしてひとは年取るのかと、思わないじゃないけれども、あたしは齢《とし》のことはつとめて気にしないようにしてます」

「気にかけてもかけなくても、年取るのは一緒ですからな」

「……」

清兵衛は、よいしょと声をかけて、ようやくけむりのおさまった火鉢を、自分が坐《すわ》る場所と万平の机との間まではこんで来た。

「心配するだけ損です」

「しかし、そう言えるのは清兵衛さんがまだ若いからですよ」

万平はいつもとは違う、執拗《しつよう》な口ぶりで言った。

「今朝は、御膳《ごぜん》をいただいたあとで舌を嚙《か》みましてね」

「舌？」

「ベロです」

と言って、万平は突然べっかんこうをするように、清兵衛にむかって舌を出して見せた。何となく元気のない表情や話の中身とは裏腹に、もも色の健康そうな舌が、あっという間に出ては口の中にひっこんだのを、清兵衛は少々あっけにとられて見た。

「かちりと嚙んでしまって、しばらくは物も言えない体《てい》たらくでした」

「ははあ」

「もちろん、嚙もうと思って嚙んだわけじゃありません。あっという間の出来事でしてね」

「なるほど。それは痛かったでしょうな」

「これも年取った証拠ですよ」

万平は、自分の言葉に自分でうなずいている。

「ベロなんてものは、あなた。あっちやってこっちやってと、いちいち考えて動かすものじゃないでしょ。それでもちゃんと、歯で噛んだりせずにお役目をはたせるのがあたりまえというものです。年取ると、そんな些細《ささい》なことまでうまく行かなくなりますからな。おどろきますな」

「そんなもんですか」

「用心しないと、いまにしょっちゅう、舌を噛むようになるんじゃないかと心配です」

「加賀屋さん、それはあなた、少し考えすぎじゃありませんか」

万平は答えなかった。うつむいて硯箱《すずりばこ》の中の筆をいじったが、急に顔を上げると、狸《たぬき》のように丸い眼で清兵衛を見た。

「この間の話を、丸藤《まるふじ》さんにしてくれましたか？」

「この間の話というと？」

清兵衛はとまどった表情で万平を見返したが、すぐにうなずいた。

「ああ、書役をやめたいという話ですか」

「ええ」

「加賀屋さん」

清兵衛は急に笑い出した。

丸藤はしぐれ町と隣り町にまたがる広い地所と、その土地に表店《おもてだな》、裏店《うらだな》あわせて十軒あまりの家作を持つ地主だった。本業は藍玉《あいだま》問屋で、神田鍛冶町《かじちょう》の表通りにあるその店は繁昌《はんじょう》している。

丸藤は清兵衛と万平の直接の雇主《やといぬし》でもあった。町役人という仕事の名目では、二人は名主の市村庄三郎《いちむらしょうざぶろう》につながっているが、仕事の報酬は丸藤から出る。

「それであなた、さっきからあたしに年取った話ばかりを聞かせてるんじゃないでしょうね」

ひとしきり笑ってから清兵衛がそう言ったとき、表でひとの声がした。市村からもどって来た善六が、旅姿の男と何か話しているところだった。あまり身なりのよくない、旅疲れしたようなその男の顔が、二人がいる自身番の中からまともに見えた。四十近い男である。

清兵衛が振りむくと、万平も黙って表の男を見ている。

「見かけないひとだね。誰でしょう」

清兵衛がささやくと、万平は小さくうなずいたが、いいえと言った。

「あれは町内のひとですよ。三丁目の新蔵の弟です」

「え？　菊田屋さんとこの？」

清兵衛が、もう一度表に眼をもどしたとき、ちょうど男が頭をさげて去るところだった。すぐに善六が土間に入って来た。ただいまもどりましたと言って、善六は土間の隅《すみ》においてある竹箒《たけぼうき》をつかんだが、二人の物問いたげな表情に気づいたらしくつけ加えた。

「いまのひとですか。菊田屋さんをたずねて来たというので、お店を教えてやりました」

清兵衛はうなずいて、そこの戸をもうしめていいよ、と言った。それから万平を振りむいた。

「菊田屋さんの弟というと、若いころに急に姿を消したひとじゃなかったかな」

「そう、上方《かみがた》に行ってから十五、六年にもなるんじゃないですか。半次という男です」

「これはおどろいた。大変な物おぼえだ」
「………」
「加賀屋さん、あんたはやっぱり町内の生き字引です。いまやめられたら困ります
よ」
万平は返事をしなかった。外で善六が落葉を掃いている物音が聞こえる。風もない
のに、いまの季節はいつの間にか、自身番の前に落葉がいっぱいにたまってしまうの
だった。

二

小僧の庄吉《しょうきち》を先に表に出し、自分も風呂敷《ふろしき》一杯の荷を背中にくりつけてから、新
蔵は女房《にょうぼう》を振りむいた。
「日暮れまでにはもどるけれども、もしその前に大黒屋さんのひとが来たら、金箱か
ら五両だけ出してお支払いしなさい」
「………」
「いいかい、五両だよ。むこうはそれじゃ足りないと言うかも知れないが、そのとき
は、ご不満ならお支払いは今日でなく、まとめて晦日《みそか》にしていただきますと言うの

だ」

「あたしが言うんですか」

女房のおたつは、不満そうな声を出した。

「そういう面倒なことわりは、いつもあたしに回って来るんだから」

「しょうがないだろ。これだけの店なんだから」

新蔵は腰をおろしたまま、首だけでなく背中の荷物ごと、身体をよじって振りむくと、おたつのふくらんだ顔をにらんだ。

「わたしは旦那《だんな》づらで店に坐ってるわけにはいかないんだよ。こうして風呂敷包みを背負っておとくいさん回りをしなきゃ、おまんまの喰《く》い上げです。何を考えてるんだ、いったい」

「……」

「その程度の口上を億劫《おっくう》がるようじゃ、商人の女房とは言えませんよ、ばかばかしい」

新蔵は立ち上がった。まだ文句はあって気分が中途半端だったが、いつまでも女房相手の小言に時をつぶすわけにはいかなかった。

「それから、忘れずに受取りをもらいなさい」

「わかってますよ、それぐらいのことは」

ふてくされたようにおたつは言った。新蔵はまたむっとしたが、こらえてもうひとつ気になることをつけ足した。おみつは十二にもなって、いったいいつまで人形遊びなどをしているのだろう。

「おみつに店の前の落葉をはかせなさい。甘やかしてただ遊ばせておくと、ろくなものになりませんよ」

返事もしないおたつに背をむけて、新蔵は店を出た。すると出会いがしらにひとにぶつかった。

「おや、ごめんなさいよ」

客かと思って詫《わ》びごとを口にしながら、顔を上げた新蔵に、前に立ちふさがった男が笑いかけて来た。

「兄ちゃん、おれだがな」

「………」

新蔵は眼をみはって男を見た。男の言葉には、強い上方訛《なまり》があった。

曇り空の下に、男はうそ寒いような顔をして立っていた。頬《ほお》や首のあたりにむかしはなかった肉がついて、面影《おもかげ》がすっかり変っていたが、それでも男は眼をみはってたしかめなければ誰かもわからないほどに変ってしまったわけではなかった。男は弟の半次である。そんなことは、ひと眼でわかった。

それでも新蔵が、ちょっとの間声も出ずにまじまじと弟を見つめたのは、ひとつはむろん、長年何の消息もなかった弟が突然に眼の前に現われたおどろきのせいである。しかしそれだけではなかった。眼の前の半次の変りようには、新蔵が思わず息をのむようなものが、むき出しに見えていた。ひと口に言えば、半次はうらぶれはてた姿で兄の前に現われたのである。

半次は太っていた。だが丈夫そうな太り方ではなく、艶《つや》のない肌《はだ》は病気持ちのようにむくんで見えた。眼の下の青黒い隈《くま》も、旅疲れのせいだけとは思えず、鬢《びん》には、新蔵にもまだない白髪《しらが》がちらほらとまじっている。そして着ている物は粗末だった。長旅に汚れた着物に継ぎがあたっているのが、なぜかはっきりと新蔵の眼に映った。

見えているそういうことのひとつひとつが、新蔵の言葉をせき止めたのに違いはなかったが、しかし実際には、新蔵はそんなに長く弟を見つめていたわけではなかっただろう。

「ひさしぶりじゃないか。いったい、どうしたんだ？」

と言ったが、新蔵はすぐに、道を行く人びとが自分とみすぼらしい旅人をちらちらと見て通るのに気づいた。新蔵は、弟の袖《そで》をつかんだ。

「まあ、とにかく家に入れ。しかし、よくここがわかったな」

「番屋で聞いて来た」

「そうか。ここに家を借りてから、五年ほどになるんだ。おい、庄吉」

新蔵は背中に小さな風呂敷包みをくくりつけて、こっちを見ている小僧に、もうしばらく待っているように言いつけると、半次を連れて店の中に引き返した。

うす暗い店の中には、誰もいなかった。

「ちょうど、出かけるところだったんだよ」

と言って、新蔵はおたつを呼んだ。

「大いそぎで、商いを済ましてもどるからな」

「べつにおれのことは気にしないでくれ」

と半次が言った。

「商いのじゃまをしちゃ悪い。兄貴が帰るまで休ましてもらってるよ」

「おふくろは死んだぞ」

と新蔵は言った。声をひそめた。

「もう、八年になる」

「そうか」

　と半次が言った。もっと何か言うかと新蔵は弟の顔を見たが、半次はやはりうそ寒いような顔をして、店の奥を見ているだけだった。新蔵は声をはり上げて、おたつを呼んだ。

「何ですか、大きな声を出して。まだいたんですか」

　前掛けで手を拭《ふ》きながら出て来たおたつは、そう言ってから土間に立っている半次に気づいたようだった。あわてて前掛けをはずして坐ると、いらっしゃいましと言った。

「客じゃない。弟だよ」

　まあ、とおたつは言った。檜物《ひもの》師の親方について修業中だった半次が江戸から姿を消したのは、新蔵がおたつと所帯を持って半年もたたないころのことである。

「まあ、半次さん。何の音沙汰《おとさた》もなくて、いったいどうしてたんですか」

「話はあとにしよう」

　と新蔵は言った。

「ひさしぶりに半次が来たのに、出かけるのも悪いようなものだが、山崎さまと安藤さまには、今日うかがって品物を見てもらう約束だ」

新蔵は、女房と弟を半々に見ながら言った。

「お武家さまとの約束を破ってはあとがまずかろうから、とにかく行って来る」

「いいよ。おれのことはかまわないでくれ」

「じゃ、あとをたのんだよ」

新蔵はおたつに言うと、いそぎ足に庄吉が待つ店の外に出た。

三

降るかと心配した雨は降らなかったが、空気は湿っていて、日暮れ近くなると底冷えが一段ときびしくなったようだった。

しかし商談はうまくいって、新蔵は今日たずねた二軒の旗本下屋敷で、合わせて十四、五両の商いを決めることが出来た。持参した呉服物のほかに、反物の注文も取ったのだから、この夏ごろからせっせと通った甲斐《かい》があったのである。

──この調子で……。

どうにかして本宅の方にも喰い込みたいものだ、と新蔵は思いながら歩いている。

山崎の上屋敷は小石川、安藤の方は築地《つきじ》に上屋敷があって、どちらも五千石前後の旗本だが、内証のいい屋敷だという商人うちの評判を聞いている。

「庄吉」

新蔵は気持がまだ小さくはずんでいるのを感じながら、うしろからついて来る小僧に声をかけた。

「寒くはないかね」

十五という齢《とし》にしては小柄《こがら》な庄吉は、いいえと言い、元気のいい声でつづけた。

「寒くはありませんが、旦那さま、わたくしはおなかがすきました」

新蔵は笑った。

庄吉は奉公に来てから三年になる。利発で辛抱のいい子だから、うまく仕込めばいい商人になるだろう。

——商人は……。

いや、商人にかぎらず、人間辛抱ほど大切なものはない、と新蔵はいつものように、これまでの人生から得たたったひとつの教訓を胸の中に呼び返した。切なく辛《つら》いことがあっても、じっと辛抱してしのいでゆくうちに、何とか恰好《かっこう》がついて来るものだ。世の中がちょっぴり見えた、と思うのもそんなときだ。途中で投げ出してしまえば、見えるものだって見えはしない。

そこまで思ったとき、新蔵はとくい先でしゃべっている間もずっと頭の隅にひっかかっていて、商いのじゃまになった弟の半次の姿が、またするりと胸の中に入りこんで来たのを感じた。すると新蔵の胸は、物をたべすぎたあとのようにわずかに重苦しくふさがった。

弟はいったい、あのみすぼらしい恰好で、何をしにもどって来たのだろうか、と新蔵は思っているのである。むかし江戸から逃げ出したように、今度は上方から逃げもどって来たのだろうか。それにしても、半次はもう三十七になっているはずである。若いころ、ひょいと姿をくらましたようなわけにはいくまい。仕事は何をやっているのか、妻子はいるのか。

考えはじめると、疑問は際限なくうかび上がって来るようだった。しかし、考えたところで仕方ないのだ、と新蔵は思った。半次本人にたしかめるしかない。まつわりつく疑問を振りはらうように、新蔵は首を振った。

「おまえは正直でいいな、庄吉」

と、新蔵はつとめて明るい声で言った。

「それじゃ、今日は暗くならないうちに帰れたから、おかみさんに言って早目に飯にしてもらおうじゃないか」

角の八幡《はちまん》さまの木立を曲ると、三丁目の表通りだった。屋根は黒く、家々の軒下には白っぽい夕やみの気配がただよっていて、通行人の姿はまばらだった。うすら寒いので早く家に入ったとみえて、通りには子供たちの姿も見えなかった。

——つい、この間までは……。

歩くのにじゃまになるほど、子供たちが駆けまわっていたのに、と新蔵は思った。夏の間に夜遊びの味をおぼえた子供たちは、秋に入ってもしばらくはうす暗い町から家にもどるのをいやがって親たちにしかられていたのである。

——おれたちが小さいころも……。

同じようなものだったと思いながら、新蔵が子供のころの半次の姿を思い描こうとしたとき、家が見えて来た。狭いながら、呉服商いののれんをかけた店である。

茶の間に入ると、襖《ふすま》ぎわに半次が横になっていた。半次はいびきをかいていた。身体《からだ》の上に掻巻《かいまき》がかけてある。

——疲れて、寝こんだらしいな。

と新蔵は思った。それなら二階に床《とこ》を取って寝かせてやればよかったのだと思いながら弟の寝顔をのぞくと、強く酒が匂《にお》った。

「……」

新蔵は顔をしかめ、それから不可解なものを見たように、腕組みして半次を見た。

台所に行くと、行燈《あんどん》の光の中で夜食の支度をしていたおたつが、お帰りなさいと言った。おみつの姿は見えなかった。

「半次に、酒をのませたのか」

「ええ、お茶を出そうとしたら酒の方がいいと言うもんで。あたしびっくりしちゃった」

「ふむ」

「半次さんて、そんなに酒好きのひとだったんですか」

「それで、少しは聞いたかね」

「……？」

「何でもどって来たとかいうことだよ」

「いいえ、ただにこにこして酒をのんでいるだけで、あんまり話さないんですよ」

またしても、重苦しいものがどっと胸に走りこんで来たのを、新蔵は感じた。

四

小女《こおんな》が酒をはこんで来たのにつづいて、おりきが煮染《にしめ》と豆腐汁《とうふじる》を持って来た。

「このひとが半次さん？」

おりきは飯台の上にはこんで来たものをならべながら、半次の顔をちらちらと見た。

「何か、ひとが変っちゃったみたいだねえ」

「十何年も見なきゃ……」

と新蔵は言って、銚子《ちょうし》を引き寄せた。

「人間、誰《だれ》だって変るよ、おりきさん」

「そうじゃなくてさ」

おりきは、見据《みす》えるような眼《め》を半次にそそいだままで言った。

「このひと、若いころはもっと色男だったんじゃないの。ほら、桶《おけ》屋のおせいちゃんとうわさを立てられたりして」

「古い話は言いっこなしにしようや」

と新蔵は言い、うつむいている半次に盃《さかずき》を持たせて酒をついだ。

「おりきさんだ。おぼえてるだろ」

「うん」

半次はちらりと眼を上げておりきを見たが、そのままうつむいて酒をすすった。

二人がいるのは、しぐれ町一丁目の角にある「福助」という茶漬《ちゃづ》け屋である。「福助」は茶漬け飯を喰わせるだけでなく酒も出すので、むかしから夜になると町内の男たちがあつまった。

一丁目の町内ではやらない古手《ふるて》屋をしていた新蔵の父親も、借金で店をつぶす前は、よく新蔵兄弟をつれて「福助」に来たものだ。母親は喜ばなかったが、新蔵は灯《ひ》に照らされる「福助」のほの暗い店の中や、酔った男たちがざわめく様子を眺《なが》めながら、父親が酒をのんでいるそばで弟と二人で皿《さら》に取ってもらった煮染をつつくのがたのしかったのである。

店がつぶれて一家が同じ一丁目の内の裏店《うらだな》に引越すと、「福助」との縁はぷっつりと切れてしまっただけに、子供のころのその記憶は懐《なつか》しく心に残った。

そして新蔵より三つ年上のおりきは、そのころから店を手伝っていたのである。おりきは嫁入りの前には「福助」の看板娘などとさわがれた女だが、その素質はもうそのころから現われていて少女ながら美貌《びぼう》だった。新蔵のむかしの記憶を懐しむ気持の中には、当時の、胸がふくらみかけた年上の少女に対する、ほのかな物思いもまじっている。

だが美貌のおりきは、美貌だからしあわせな暮らしにめぐまれたというわけではなかった。のぞまれて嫁入った六間堀《ろっけんぼり》町の小間物屋の若旦那《わかだんな》というのが道楽者で、おりきが姙《みごも》った子供を流産したあとで身体が弱くなると、さっそく外に浮気《うわき》の相手をつくって家にももどらなくなった。その上に亭主《ていしゅ》の親たちまで出て行けがしのつめたいそぶりをみせるようになったので、おりきはいたたまれなくなって実家にもどったのである。

そして店を手伝っているうちに、水商売を嫌《きら》った弟が商い店に奉公に出てしまったので、そのままあとを引き受けて店を切りまわすことになったのだった。おりきがいまの亭主と一緒になったのはかなりおそく、三十前後のころだったはずである。

むかしの「福助」の看板娘も、もう四十の坂を越えてしまったが、おりきはいくらか太り気味に変った身体をべつにすれば、細い切れ長の眼やふっくらした頰《ほお》のあたりに、まだ美人の面影《おもかげ》をとどめていた。

「内緒の話だったら、奥の茶の間を使ってもいいんだよ」

おりきが、ほかの客に聞こえないように小声で新蔵に言った。

「亭主は今夜は吉原《よしわら》泊りで、奥には猫《ねこ》しかいないから」

「いや、いいんだ」

と新蔵はおりきに笑顔をむけた。

「べつに、内緒話というわけじゃない」

「そんならいいけど」

うなずいて、おりきが料理場の方に去ると、新蔵はまた半次に酒をついでやった。

「どうだい、店の中は子供のころとあんまり変っていないだろ」

「……」

「おまえが喜ぶんじゃないかと思って、連れて来たんだ」

「うん、なつかしいな」

お義理のように、半次は言って盃を口にはこんだ。そして不意に言った。

「おせいちゃんは、いまどうしてるの？」

「経師屋《きょうじ》のおかみさんだ。ほら、政吉の嫁になったんだ」

「へえ、政吉のね」

「子供が二人いて、もうずいぶん大きくなってるはずだ」

と言ってから、新蔵はきびしい眼で弟を見た。

「おせいちゃんに近づいたりするんじゃないよ。いまは何不足なく、経師屋のかみさんで暮らしているひとだからな」

「おれが？」

半次がおどろいたように、新蔵を見た。

「おれ、そんなことをするもんか。顔出さなきゃいけねえ義理があるじゃなし」

「そんならいいんだ」

と新蔵は言った。よっぽど、半次が江戸から姿を消したとわかったころ、半狂乱のようになった桶屋のおせいが、裏店の家をたずねて来て母親を困らせた話をしてやろうかと思ったが思いとどまった。

ほかに、もっと話し合わなければならないことがあった。

「家の中じゃしゃべりにくいこともあるだろうと思って、ここへつれて来たんだ」

と言って、新蔵は店の中を見回した。時刻がおそいせいか、客はほんの四、五人しかいなかった。上げ床の畳敷きの席に二組、土間の腰かけに職人らしい男が一人いるだけだった。その男は酒を終って茶漬け飯を喰《く》っている。

畳敷きの席でのんでいる二組の客のうち、片方は町内の人間だった。草履問屋の主人と、下《くだ》り塩の仲買いをしている半右衛門《はんえもん》という、鬢《びん》の毛がはげ上がった男である。二人は新蔵が来たときに眼が合って挨拶《あいさつ》をかわしたものの、いまは自分たちの話に熱中しているように見えた。

「ところでおまえ、これからどうするつもりだい？」

「………」

「おたつが気を揉《も》んでるんだよ」

と新蔵は言った。自分も女房《にょうぼう》におとらず気を揉んでいたが、兄としてそうは言いたくなかった。

「来てから三日になるが、おまえがいったいこれからどうするつもりなのか、さっぱりわからないからだよ」

半次はちらりと眼を上げて新蔵を見たが、無言のまま手をのばすと、銚子を引きよせて自分の盃に酒をついだ。新蔵の言葉が聞こえたのかどうか、わからないようなむっつりした顔をしている。

新蔵は、そういう弟から何となく無気味な感じを受けた。言ったことが、半次のむくんだように太っている身体に吸い取られて、とどくべき場所にとどいていないような気がしたのである。

「おまえに飯を喰わせておくのがいやだというわけじゃないんだ。たった一人の兄の家だ。ほかに身寄りはいないんだから、いたけりゃいつまでいたっていいよ」

「…………」

「だがぶらりと帰って来て、またむこうに帰るのか、こっちで暮らすのかもはっきり言わないで、ぶらぶら外を出歩いているというのじゃ困るよ。それじゃおたつに内緒で小遣いをやるというわけにもいかないじゃないか」

新蔵は、また銚子をつかもうとしている半次の手を押しもどした。

「むこうはどうなってるんだい。かみさんや子供がいるんだろ？」

「………」

「まさか一人というわけじゃあるまい」

「いや……」

うつむいたまま、半次は聞き取りにくい声で言った。

「ずっと一人で暮らしてたんだ」

「どうして、そんな……」

と言ったまま、新蔵は絶句した。うらぶれた恰好《かっこう》で家の前に立った弟を見たときと同じ重苦しいものに、胸をふさがれた気がしたのである。

気を取り直して、新蔵は言った。

「所帯を持ったことは、一度もないのかね」

「うん」

「所帯を持たなくとも、一人ぐらいはつき合ってる女がいそうなもんだがな」

「若いころはいたよ」

半次は言いながら、すばやく銚子をつかむと手酌《てじゃく》で酒をついだ。

「だけど、すぐに別れたんだ」

「どうして？」

「女ってのはめんどうだからな」

半次はつづけざまに盃をあけた。荒っぽい飲みっぷりは一人暮らしの間に身についたものかも知れなかった。

「仕事は、何をやってたんだ」

「いろいろだな」

と半次は言い、不意にからの銚子を持ち上げて料理場を振りむくと、酒をくれないかと言った。上方《かみがた》の訛《なまり》がまじる濁った大声に、畳の上の客も、茶漬けを喰い終って楊《よう》枝《じ》を使っていた男も、おどろいたように振りむいて半次を見た。

気持がいよいよ滅入《めい》るのを感じながら、新蔵は客の耳をはばかって小声になった。

「じゃ、決まった仕事というものはなかったのか」

「ま、曲物《まげもの》を作ってることが多かったけどな」

「しかし、おまえは……」

新蔵はいっそう小声になった。

「その曲物だけど、年季が明けて渡りの修業に出してもらったというんじゃなかったんだろ」

「……」

「いや、親方にもたずねたんだが、何にも言ってくれないんでな。いまだにわからないんだが、いったい、何で急に上方に行くことになったんだい」

「……」

「ふーん、やっぱり言いたくないのか。ま、いいや」

新蔵は、小女がはこんで来た銚子を受け取ると半次に酒をついでやり、ついでに自分の盃も満たした。

「およその事情はわかった。そこで話は前にもどるが、おまえ、これからどうするつもりでいるんだね」

「……」

半次は盃をおくと、ちらりと新蔵を見た。半次の顔は酔いで斑《まだら》に染まり、眼に一瞬卑屈な、そのために悲しげにも見える光が動いたのを、新蔵は見のがさなかった。追いつめられたようなその表情が、胸にこたえた。

——どうすると……。

問いつめることもないかと思いながら、新蔵は窮屈そうに兄の借着を着ている半次を眺めた。弟が上方を喰いつめてもどって来たことは明らかだった。そんなことは、はじめからわかっていたことだ。

弟をあわれむ気持が、静かに新蔵の胸を満たした。

「むこうに、帰らなければならない義理がないんなら、こっちで暮らせばいいじゃないか。人間、やっぱり生まれた土地で暮らすのが一番だよ。おまえ、上方の水が合わなかったんじゃないか」

「……………」

「ただ、遊んでちゃだめだ。明日からでも仕事をさがしな。仕事が見つかるまでは養ってやろうじゃないか」

五

背負って出た荷はそっくり残って、新蔵は荷の重さと外の寒さに疲れ切って店にもどった。

「半次はどうした？」

店の畳敷きに腰かけて、風呂敷《ふろしき》包みをほどくと、新蔵はすぐには立ち上がる気にもなれず、しばらくうつむいて呼吸をととのえたが、おたつを振りむくと、すぐにそう言った。

「もどってますよ、二階に」

「もどっている?」

新蔵は自分が歩いて来た外に眼をやった。外にはまだ日の色がただよっていて、そのやわらかい光の中を、通行人がいそがしげに行き来している。日が沈むまで、まだ少し間があるのだ。

「早かったじゃないか」

「ええ、早かったですよ」

おたつはそっけない口調で言い、そのつづきのようなそっけない声で、おや、ちっとも売れてないじゃないかと言った。背負い帰った荷を改めている気配である。

振りむかずに、新蔵は言った。

「だめだ、だめだ。ただくたびれてもどっただけだ」

「今日はどっちへ行ったのさ」

「東両国に出て、そこから北本所に回ったのだが……」

新蔵は言ってから、またおたつを振りむいた。

「それで、半次は何か言ってたかい?」

「仕事のこと?」

「そうだよ」

「何にも」

「何にもだって?」

新蔵は、荒々しく足袋《たび》の埃《ほこり》をはらうと店に上がった。

「いったいあいつは、どういう料簡《りょうけん》なんだ」

「それはあたしが言いたいせりふですよ」

と、おたつはふくれっつらで言った。

「疑っちゃいけないと思うけど、あのひとほんとに仕事をさがしてるんですか」

「そんなこと、わたしにわかるわけはないだろ」

尻上《しりあ》がりの、詰問《きつもん》調のおたつの言い方に煽《あお》られて、新蔵はかっと腹が立った。怒りは、あれから五日もたつのに、自分一人の口を養うだけの働き口も見つけられない弟と、その弟をいまはすっかり厄介者《やっかいもの》扱いにした口をきく女房の両方に、等分に振りむけられる。

弟の腑甲斐《ふがい》なさはわかっていても、それをおたつに非難されると、新蔵は自分も持っている何か、あまり上等とは言えないものを一緒に非難されているような気になるのである。商いがうまくいかなかった苛立《いらだ》ちも、怒りの火に油をそそぐようでもあった。

だが新蔵は、声だけはおさえた。商人が、店先で夫婦喧嘩《げんか》をしては、と思うだけの分別は残っている。

「一人前の男のしていることだ。いちいちついて回ることも出来ないじゃないか、みっともない」

「だって、それじゃいつになったら決まるんですか」

「そういうことは本人に聞きなさい、本人に」

新蔵はじれて、畳を叩《たた》いた。

「そんなに気になるのなら、どうして自分で聞かないんだね。わたしはね、商いがいそがしくてそうそう弟の面倒をみているわけにはいかないんだよ」

「あたしだって、ひまなんかありませんよ」

とおたつが言った。

「家のこと、店のこと一切はあたしがみてるんですからね。それに……」

と言って、おたつは急に声をひそめた。

「今日は、またあの子が来たんだよ」

いきり立っていた気持が、水を浴びたように冷えるのを新蔵は感じた。おたつがあの子と言えば、奉公に出してある忠吉のほかにはいない。

忠吉は二年前に、神田本銀町《ほんしろがねちょう》の呉服問屋に奉公に入っていま十五だが、根性のない子だった。奉公先で辛《つら》いことがあるとすぐ店を抜け出して来るので、そのつど親が付き添って送り返すことになる。

「ちょっと、その話はここじゃだめだ。むこうへ行こう」

新蔵が言って立ち上がると、おたつも暗い顔をして後につづいた。二人は茶の間に入って坐《すわ》ると、顔を見合わせた。

「お茶をいれましょうか」

「それよりも、忠吉は何だって言うんだ？」

新蔵が言ったとき、店の方でごめんくださいという女の声がした。客のようである。おたつがすばやく立って行った。

そして、そのままおたつはなかなかもどって来なかった。話し声が聞こえ、話に時どき二人の笑い声がまじるのに、新蔵はぼんやりと耳を傾けていたが、そのうちに二階からひとが降りて来る物音を聞きつけて、ふと眼《め》がさめたような顔になった。

小僧の庄吉は外に使いに出してあるから、降りて来たのは半次である。今度は弟と女の声がした。そしてぎしぎしと梯子《はしご》がきしんで、ひとが二階に上がって行ったと思ったら、それっきり店の方はしんとしてしまった。

新蔵は店に行ってみた。見ると暗くなって来た店に、ぽつんとおたつが坐っている。

「お客さんは？」

「二階に行きましたよ」

「え？」

「おせいさんがたずねて来たんですよ」

「ばか」

新蔵は声を殺しておたつを叱《しか》った。

「ここで話させればよかったんだ。二階に上げることはない」

だが後の祭だった。半次が上がれと言ったに違いない。新蔵はこわいものを見る眼で、静まり返っている梯子の上を見上げた。

六

両国橋をわたって竪川《たてかわ》の河岸《かし》通りに出ると、新蔵はいつも自分の町にもどったという気がして、気持までゆるんで来るのを感じる。

新蔵は、自分が住む本所《ほんじょ》や、境を接する深川の町々ほどいい土地はないと思っていた。小名木川《おなぎがわ》の南ほどではないが、竪川とか六間堀《ろっけんぼり》、五間堀といった川から、時どきふっと水が匂《にお》って来る。そういう土地柄《がら》が好きだった。

それにくらべると、今日行って来た神田とか青山とかの大川の西の町々は、川や掘割がないわけでもないのにどことなく埃っぽく、歩いているうちに喉《のど》が乾いて来るような気がするのはなぜだろうかと思いながら、新蔵はさほどいそぐでもない足どりで河岸の道を歩いて行った。青山まで行った甲斐があって、今日の商いはうまくいったので、新蔵の気持はわずかなはずみを隠してくつろいでいる。

日はとっくに暮れて、町は新蔵が歩いている間にも少しずつ暗くなっていたが、河岸ぞいの町には灯《ひ》をともしている家はまだ見えなかった。新蔵は二ノ橋を南にわたった。橋をわたるとき、暗い両岸の町にはさまれて、竪川の水路だけがほの白くうかび上がっているのが見えた。

林町を抜けてしぐれ町に入った新蔵は、ちょうど眼の前の自身番に灯がともり、同時にまるで明るいその灯にはじき出されたように、中から一人の男が路《みち》に出て来たのを見た。大柄なその男は書役《かきやく》の万平だった。

万平も振りむいて新蔵を見た。うす闇《やみ》の中でも新蔵の顔が見わけられたらしく、万平は吐息ともつぶやきともとれる、意味不明の声を洩《も》らした。新蔵の方から声をかけた。

「加賀屋さん、お帰りですか」

「はい。あんたもいまお帰りか」

と言って、万平は大きな身体《からだ》を寄せて来た。

「足が痛んで、とても夜番は勤まりませんからね。近ごろは日が暮れると、家に帰してもらっているのですよ」

「寒くなって来たからじゃないですか」

と新蔵は如才《じょさい》なく相槌《あいづち》を打った。

「あたしのところのおふくろなんかも、いまごろの季節になると、足が痛む、腰がどうしたといつも大騒ぎしてましたからね」

しゃべりながら新蔵は、ちょうどいい折りだから気になっていたあのことを、万平に聞いてみようと思った。

「加賀屋さんに、ちょっとおうかがいしたいのですがね」

「はい、何でしょう」

「弟のことです」

と新蔵は言い、弟の半次が家にもどって来て二十日ほどになることを話した。

「身内の恥をさらすような話でナニなんですが、あいつは長いこと上方《かみがた》に行ってましてね。所在も知れなければ便りひとつよこすわけじゃないというぐあいで、かれこれ十五、六年も行方知れずでいた人間なんですが、それがひょっこりともどって来たんです」

「それはめでたい」

「さあ、めでたいのかどうか」

新蔵は、ゆっくりしている万平の足にあわせて歩きながら、にが笑いした。

「むこうで出世して大金をみやげに帰って来たなどというんでしたらめでたいかも知れませんが、そうじゃなくて加賀屋さん、半次は上方を喰《く》いつめてもどって来たのです」

「ははあ。でも、よくあることです」

「はい。それでむこうにはもうもどりたくない、こっちで職人仕事をさがしたいということで、じつはやっと昨日になって、以前の親方の世話で働き口を見つけたところなんです」

「それはまあ、よかったじゃないですか」

「ええ、わたしもほっとしているところですが、加賀屋さんにお聞きしたいのは、弟の人別《にんべつ》です」

「……」

「ただ、わたしの方の三丁目の自身番にとどけて出るだけでいいものでしょうか」

「弟さんが帰って来たことは、とどけましたか」

「いえ、まだです。こっちに腰を据《す》えるのか、またむこうにもどるのかがはっきりしなかったもので」

「なるほど、わかりました」

と言って、万平は立ちどまった。そこは一丁目のはずれで、万平の家は屋並みの間に暗い口をあけている路地の奥にある。

「弟さんの人別は、上方に行く前はどちらにありました?」

「檜物《ひもの》師の親方のところです。場所は深川の元町です」

「それじゃ弟さんに一度聞いてみなさるといいが、上方に行くときは、元町の大家《おおや》さんに頼んで人別送りという書付けをつくってもらって、それを持って行ったはずです。それがなくて姿を消せば、欠落《かけお》ち者になりますからね」

「はあ」

「その手続きは、こっちにもどるときも同様です。先方の名主さん名儀で出してくれた人別送りをこちらの自身番にとどけ出て、おまえさんならおまえさんの人別に加えてもらうわけですな」

「すると……」

新蔵は当惑して言った。

「こちらに人別をとどけるには、いっぺん上方にもどって、その書付けをもらって来ないとだめということでしょうか」

「まあ、建前《たてまえ》はそういうことになるでしょうが……」

万平はうす暗くなった町を見回すようにした。町はあちこちに灯がともりはじめていたが、路には歩いている人影は見あたらず、急に冷えて来た夜気が二人を取りまいているだけだった。

「一度、友助さんに相談してみなさい」

万平は三丁目の書役の名前を言うと、後じさるように一、二歩路地の方に身体を移した。さっきまではぽっかりと暗かった路地の奥に、かすかな灯のいろが見える。

「たったそれだけの用で上方に行って来るのも、大変なことですからな。手紙で用を足すという方法があって、友助さんが万事はからってくれますよ。少し手間どりましょうし、多少お金もかかるかも知れませんが、なに、来年の人別調べに間にあえばいいことで、あわてることはありません」

礼を言って、新蔵は万平と別れた。事情は万平の話でわかったが、それですっきりと気がかりがとけたわけではなかった。むしろ新しい気がかりが加わったようでもあった。

新蔵は、十数年前の半次の突然の失踪《しっそう》を思い出して、弟がはたして人別送りなどという尋常な書付けを持って行ったかどうかは、疑わしいものだと思っているのだった。人別送りとかいうその書付けを持たず、旅の関所手形だけで上方の町にもぐりこんでしまったのだとすれば、弟は万平が言った欠落ち者ということになるのだろうか。もしそうなら、弟は上方でずっと世間の裏道を歩いて来たことになる。

新蔵は眉《まゆ》をひそめた。心が暗く重くなった。その方が、いまの半次にぴったりと似合っていることに思いあたったのである。万平と話したようなきれいごとの始末では片づかず、半次をお天道《てんとう》さまの下の暮らしにもどすには、もっと面倒な手つづきがいるような気がして来た。

新蔵は顔を上げた。路の前方に何か物さわがしい気配がするのに気づいたのである。

眼をこらすと、路の上をひとが走り回っているのが見えて来た。場所は、新蔵の家あたりである。

——子供か。

はじめに新蔵はそう思った。家に帰りそびれた子供たちが、とっぷりと暗くなるまで外で遊んでいることがないわけではない。

だが眼が馴《な》れると、すぐにそんなものではないことがわかった。鬼ごっこよろしくうす暗がりの路の上を走り回っているのは、大人だった。数人の男である。男たちはひとことも声を出さなかった。重い足音とはげしい息遣いが聞こえて来るだけである。

恐怖が新蔵の背をわしづかみにした。新蔵はふるえる足を踏みしめて、そばの家の軒下に寄った。何か隠れるものはないかと思ったが、何もないので身をちぢめて閉まっている戸にすがった。

一人の男を、ほかの男たちが追い回しているのだということが見えていた。追われている男はつかまっては殴られ、その手をふりほどいては逃げ回って追われるということを繰り返しているのだった。はげしい殴打《おうだ》の音がひびいて来て、新蔵は眼をつむった。見てはならないものを見ていると思い、そのためにつぎには自分が襲われるのではないかという恐怖にとらえられていた。

突然に重い足音が近づいて来たと思うと、新蔵の眼の前を一人の男が駆け抜けて行った。半次だった。半次はちらと新蔵を見たようだった。裂けた袖《そで》、乱れた髪。喘《あえ》ぐ口。

「半次」

新蔵は思わず呼びかけた。

すると、その声を聞きつけたらしく、半次を追って行った男たちの中から、一人の男が小走りにもどって来た。男は新蔵の前に立つと、しばらく黙って新蔵の様子を見ていたが、やがて低い声で言った。

「あんた、半次の兄《あに》さんだね」

「………」

恐怖に縛られて新蔵は声が出なかった。いそいでうなずいた。

「兄さんなら言っておくが、半次は二度とおれたちの前に姿を見せねえ約束で上方に行ったんだぜ」

「………」

「むかし、不義理をしてね。命をとられても文句を言えねえような不義理だ。それなのにあいつ、のこのこともどって来やがった」

黒い影のようにしか見えない男は、地面に唾《つば》を吐いた。

「つかまえてしめしをつけるつもりだったが、逃げちまった。やつを見たら、兄さんからも言ってやんな。黙って上方にもどるのが身のためだってな。言うことを聞けば、命は助けてやってもいいんだ」

男が姿を消すと、新蔵は小走りに家にむかったが、足に力がなくてもどかしいほどしか走れなかった。潜《くぐ》り戸は固くしまっていたが、おたつの名を呼ぶとやっと戸があいて、娘のおみつが青白い顔を出した。

七

三日ほどたって荷を背負った新蔵が外からもどると、店にひとがいてそれが経師屋《きようじ》のおせいだった。おたつがお帰りと言うと、おせいも小さい声でお帰りなさいと愛想《あいそ》を言ったが、新蔵は何となく気持がふさがるのを感じた。おせいがたずねて来た用件が、あまり芳《かんば》しいものではないような予感がしたのである。

はたして、荷をおろす新蔵のうしろにまわって手伝いながら、おたつが小声で言った。

「おせいさん、半次さんにお金を貸してあるんだって」

「お金？」

「それで、いつ返してもらえるんだろうかって言うんだけどねえ」

新蔵はむっと腹が立って、火鉢《ひばち》のそばに行った。すると、おせいがあわてて火鉢に
かざしていた手をひっこめた。三十半ばとは見えない、白くて華奢《きゃしゃ》な指だった。

「半次にお金を貸したんだって？」

「ええ」

「いくらですか」

「それが、二両もなんですってよ」

そばに坐《すわ》ったおたつが、非難するような口ぶりで言った。二両だって？　新蔵はお
どろいて、おたつの声に非難めいたひびきがまじるのは無理もないと思った。半次も
半次なら、貸したおせいもおせいではないか。

「そんな大金を、どうして貸したりしたんですか、おせいさん」

「……」

おせいはうつむいている。

「あいつが、借りたお金をすぐに返せるはずがないことは、あんただっておわかりで
しょうに」

「あの、すぐでなくともいいんです」

顔を上げたおせいが言った。

「いつごろ返してくれるという、約束さえもらえばそれでいいんですけど」

「約束ねえ」

「半次さんに会わせてもらえませんか」

と言ったとき、それまで青白かったおせいの顔が急に赤くなって、声がふるえた。

「昨日の夜、会う約束をしてたんですけど、半次さんはそこに来なかったんです」

「………」

「お金のことを、うちのひとには聞かれるし、あたしどうしたらいいかわからなくて
……」

「………」

「とても困ってるんです」

おせいは袂《たもと》をすくい上げると、顔を覆《おお》った。

「半次は、もう三日も家にもどっていないんです」

「え？」

おせいは新蔵を見た。涙によごれた顔に小皺《こじわ》が目立って、醜かった。

「むかしの悪い仲間に追われてるんです」

「家《うち》はとてもこわい思いをしたんですよ」

とおたつも言った。おせいは、ぽかんと口をあけて新蔵とおたつを見ている。新蔵は腹立ちがもどって来るのを感じた。

「半次がどんな人間か、あんたも知らないわけじゃないでしょ。一度は江戸を逃げ出して、今度は上方を喰いつめてもどって来た男ですよ。そんな男のどこを信用して、ご亭主《ていしゅ》に内緒の金を貸したりしたんですか」

だが答は聞くまでもなくわかっていた。おせいは信用したのではなく、だまされたのだろう。男の方が、むかしのことをちらつかせて、二人もの子持ち女の心に火をつけてしまったのだ。何というたちの悪い男だと思いながら、新蔵は石のようになだれているおせいを見つめた。

おせいが立ち上がって店を出て行ったのは、店の中がうす暗くなって来たころだった。

「さあ、灯《ひ》をいれなくちゃね」

見送って店に上がって来たおたつがそう言ったとき、突然に男が入って来た。半次だった。ただいまの挨拶《あいさつ》もなく、半次は店を横ぎると二階に上がる梯子《はしご》の方にむかった。

「おい、ちょっと待て」

あわてて呼びとめた新蔵に、半次は梯子の途中から投げやりな口調で言った。

「いろいろと迷惑をかけたけど、おれ、明日上方にもどるよ」

籾蔵《もみぐら》の塀《へい》わきの長い道を抜けると、大川の河岸に出た。左手に新大橋が見える。朝が早いので、通行人の姿はまばらだった。

「じゃ、達者でな」

そこまで来る間に、知っている顔には一人も出会わなかったのでほっとしながら、新蔵は言った。

「おれはここで帰る」

「悪かったな、見送ってもらって」

と半次が言った。半次は昨夜おたつが大いそぎで用意した旅支度を身につけて、いくらかさっぱりして見える。

「関所手形はほんとに心配ないんだな」

「大丈夫だ。ここにしまってあるって」

半次は胸を叩《たた》いた。

「おせいさんから借りた金は、おれが返しておくよ」

「すまねえな、迷惑ばっかりかけた」

神妙に言ったが、半次はそこで突然に笑顔になった。言葉が上方弁になった。

「仕方おまへんな、ここまで来てしもたんやさかいに。ほかに道もあらへんかったし……」

「……………」

「そうや、ほかに道はあらへんのや」

にこにこ笑いながら半次は後じさりし、手をあげて「ほな、これで」と言うと、くるりと背をむけた。大きなうしろ姿が足ばやに橋の方に遠ざかるのをしばらく見送ってから、新蔵も河岸の道をもどりはじめた。

――行った。

と思った。ほっとして気抜けするようだった。あげくのはてに厄介《やっかい》ばらいという言葉がうかんで来たときは、さすがに新蔵もいくらか気がとがめたが、安堵《あんど》の思いは変らなかった。ひと気のない道を歩きながら、新蔵は思わずひとり笑いをした。うす笑いしながら、新蔵はこれでやっともとの暮らしがもどって来ると思った。

何か気持にひっかかるものがあるような気がしたのは、石置場の前を通りすぎて御船蔵にさしかかったときだった。頭にうかんで来たのは鼬《いたち》の道切りという言葉だった。鼬がひとの前を横切ることをそう言うのだが、鼬は同じ道を二度は通らぬ獣である。それで行ったきりでつき合いが絶えることを、鼬の道と言ったりするのだと聞いた記憶がある。

思わず、新蔵は振りむいて橋を見た。半次が、突然に現われて前を横切った大きな鼬のような気がしたのである。新蔵は大橋の上に、半次の姿をさがした。橋の上にはいくつかひとの姿が動いていたが、どれが弟かは遠くてわからなかった。

——そうか。

これで二度と会うことはないのだな、と思った。兄弟といってもこの程度のものなのかとも思ったとき、新蔵は急に気持が際限なく沈んで行くのを感じた。

おれにはおれの、守らなければならない手一杯の暮らしがある。そういつまで弟の面倒ばかりみているわけにもいかないさと思ったが、気持は滅入《めい》るばかりだった。古びた木柵《もくさく》の間から、石置場のむこうに冬めいた灰色の水が波立っているのを見つめながら、新蔵は動くことが出来ずにいつまでも立っていた。

猫《ねこ》

一

大家《おおや》の清兵衛《せいべえ》は、前から来る若い男が二丁目の小間物屋の息子なのに気づいた。栄《えい》之助《のすけ》という男である。

だが栄之助が歩きながらずっとうつむいたままで、しかも近づくにつれて、あたりのひとも景色も眼《め》に入らないといった深刻な顔をしているのが見えたので、声をかけるのをためらった。はたして、栄之助は顔も上げずに清兵衛とすれ違って行った。ひどく打ちしおれているように見えた。

――まだ片づいていないらしいな。

と清兵衛は思った。栄之助の嫁が、子供をつれて実家にもどっているといううわさを聞いていた。もどった原因が、栄之助の女道楽にあるらしいといううわさも一緒に耳にしている。その話を聞いたのは暮のうちだから、あれからかれこれふた月になるわな、と清兵衛は思った。

多分それに違いなかった。紅屋は奉公人を五人もおいて繁昌《はんじょう》している店で、ほかに栄之助があんな顔をして町を歩かなければならない理由は思いあたらない。

清兵衛は紅屋の嫁の顔も思いうかべた。小づくりの顔とのびのびした身体《からだ》を持つなかなかの美人で、去年の人別《にんべつ》調べによれば年が明けた今年は二十二で、紅屋に嫁に来て足かけ四年ほどになる勘定だが、いまだに表情や身体つきのどこかに、娘のような固くういういしい感じが残っている女だ。

清兵衛は首を振った。そんなかわいい嫁がありながら、外で浮気《うわき》をする若い者の気持がわからなかった。もっとも栄之助という紅屋の息子は二十《はたち》前後から女遊びに精が出て、ほっておけば放蕩者《ほうとうもの》になりかねない気配が見えて来たので、親はいそいで嫁をもらってやったのだという話を聞いたこともある。それで遊びはやんだのかと思ったら、やはり性分は争えなくて今度の悶着《もんちゃく》が起きたらしい。

清兵衛は、親しいというほどではないが顔見知りの紅屋の主人夫婦を気の毒に思った。嫁の実家への気兼ね、世間への気兼ねで親はさぞ、身も細る思いをしていることだろう。

——人間……。

固いかやわらかいかどっちかに決まるものらしくて、ウチの清吉などは遊んで来いと金をやっても、女遊びには見むきもしなかったものだが、と清兵衛がわが身にひきくらべたとき、一丁目の自身番が見えて来た。

清兵衛は今日は夜番で、これから昼番の大家喜左衛門《きざえもん》と交代するところである。定めの時刻に少しおくれていた。おそくとも七ツ半（午後五時）には自身番に着いて、昼番から引き継ぎを受けることになっているのだが、その七ツ半は過ぎてしまったろう。清兵衛の家は足袋屋で、出がけに店の前で顔見知りの客に会い、立ち話をしたせいだ。

喜左衛門は杓子定規《しゃくしじょうぎ》で気むずかしい男である。清兵衛より十近くも年上だった。うまく言いわけしなきゃと思ったとき、清兵衛の頭から紅屋の息子の姿が搔《か》き消えた。

栄之助はまだうつむいて歩いていた。むっつりと深刻な顔をしているわけは、大家の清兵衛が推測したとおりで、栄之助は蔵前《くらまえ》片町にある女房《にょうぼう》の実家に行って来た帰りである。

だが清兵衛のもうひとつの推測ははずれて、栄之助は気持がしおれているわけではなかった。逆である。栄之助の胸には怒りが荒れ狂っている。それで、さっきから世間が眼に入らなくなっていた。

「ちきしょう、死ね!」

栄之助は小声で呪《のろ》い言葉を吐き散らした。呪った相手は女房のおりつである。

恥をしのんで詫《わ》びに行ったのは、むろんおりつに未練があるからである。明舟屋《あけふね》の芸者とき八と浮気したのは事実だが、べつに女房からとき八に乗りかえたわけではなく、ほんの出来心だった。そのもとはといえばとくい先の接待が無事に済んだあと、つい気がゆるんで羽目をはずしたというだけのことである。酒のせいだ。そういうことは話せばわかることだと思うのに、おりつは顔も見せなかったのである。強情な女《おな》子《ご》だ。こう悋気《りんき》が強いとわかっては、こっちだって考えさせてもらわなくちゃならないよ。

おりつの両親も両親だと、栄之助は思っている。表向きこそ穏やかに迎えてはくれたものの、やはり応対は底つめたく、結局おりつどころか、子供にも会わせようとはしなかったのだ。

「お仲人《なこうど》さんにも申し上げたのですが、ま、もう少し日にちを置いておたがいに考えてみたらどうでしょうかな。もどるもどらないのお話は、そのあとでいいじゃないですか」

おりつの父親の言葉を、そのときはもっともだと思ってはいはいと聞いたが、思い返してみると子供の使い同様、軽くあしらわれたのだ。それにも腹が立つ。

栄之助は足にからまって来たものを、腹立ちまぎれに勢いよく蹴《け》とばした。するとその蹴とばしたものがぎゃっと言ったので、おどろいて見ると猫《ねこ》だった。

二

そこはしぐれ町の一丁目と二丁目の境を流れる小幅な水路のそばで、蹴とばされた猫は水路の洗い場の端にある枯れ芒《すすき》の株の根もとから、じっと栄之助を見つめている。

あたりがうす暗くなって来てはっきりしないが、どうやら白い毛に黒と茶の斑《ぶち》がある、ありきたりの三毛猫らしかった。猫は腰をひき、地に爪《つめ》を立てていざといえばいっさんに逃げ出す構えをとったまま、顔だけを斜めに栄之助にむけている。

栄之助は薄暮の通りに眼を走らせた。二丁目の途中に十人ほどの女がいる。青物屋といさば屋の客だろう。二軒の店は隣り合っている。そしていつものように、いさば屋の方が店先に灯《ひ》をともし、青物屋は隣の灯で商いをしていた。八百常のおやじは、この界隈《かいわい》では商いの吝《しわ》いことで知られている男なので、誰《だれ》もそのことを不思議に思ったりはしない。

人影は二丁目のその女たちと、栄之助が歩いて来た一丁目の遠い場所に、二丁目とは逆の林町の方に遠ざかる黒い影がひとつ見えるだけである。ほかにひとの気配はなかった。

栄之助は道にしゃがみこんだ。手を出して、舌を鳴らした。

「おいで、こっちだ」

野良《のら》猫ではなく、ちゃんと飼われている猫らしい。三毛猫はみゃーおと鳴いた。栄之助が舌を鳴らすと、そろそろと芒の下から出て来た。糸にひかれるようにそばまで来た。

「くそ、これでも喰《く》らえ」

立ち上がると、栄之助はいきなり猫を蹴とばした。さっきは無意識に蹴とばしたのだが、こんどは満身の憤懣《ふんまん》を足先にこめた。

男の身勝手な怒りの前に、手ごろな生贄《いけにえ》に仕立てられた猫こそ災難だが、しかし三毛猫は一度自分を蹴とばした人間を、手放しには信用していなかったらしい。さっと逃げた。

栄之助の足は空を蹴った。それだけでなく、蹴った足から雪駄《せった》が脱げて水に落ちた様子である。あわてて水路をのぞいたが、はやい水が流れているだけで雪駄はもう暗《あん》渠《きょ》に吸いこまれてしまったらしかった。

舌打ちして栄之助は猫をさがした。不思議なことに、猫は遠くには逃げず、さっきの芒の株の裏側にいた。むろん、いざというときは逃げるつもりで身構えている。栄之助はあきらめて首を振ると腰をのばした。

片足はだしのままで歩き出そうとした。そのとき猫を呼ぶ女の声が聞こえた。

「たまや、たーま、たま」

声は水路沿いに、栄之助と猫がいる表通りに近づいて来る様子である。栄之助は足をとめると、振りむいて枯れ芒の陰にいる猫を見た。直感的に声の主がさがしているのは、そこにいる猫だと思った。猫は半ばうす闇に紛れて、じっと栄之助を見上げている。

「たーま、たま」

声はまた近づいて来る。栄之助の足をとめたのはその呼び声だった。そこらのかみさんやばあさんのがらがら声だったら、見むきもせずに立ち去ったろうが、猫を呼んでいるのは若い女である。のみならずあたりをはばかるような呼び声に、何ともいえないつやっぽいひびきがあるのに栄之助は気づいている。

——どんな女だ。

そう思ったとき、栄之助は背筋をうそ寒いようなこそばゆいようなものが走り抜けて行ったのを感じた。

このあたりで、いま猫を呼んでいるような声を出しそうな女といえば、思いあたるのは一人しかいないことに気づいたのである。その女の家はたしか、水路の岸をかなり奥に入って、ひとつ目の路地を左に曲ったところにあるはずだと、栄之助は思った。そこは数軒、似たようなしもた屋がかたまっている場所だ。

思い出したが、角の家の庭にはいまの季節なら梅が咲いている。女の家はそこではなくて、並びの二軒目の家だと思ったが、はてな、そのことを誰に聞いたのだろう。

栄之助は地面に膝《ひざ》をつくと、芒の株の裏にいる猫にむかって舌を鳴らした。にわかに血がさわぎはじめている。

その女はいまから二年前に町に来た。二、三度は紅屋に買物に来たので、栄之助は女の顔と姿は見ている。おもんという名前もわかっていた。ひょっとしたら買物には二、三度どころでなくもっと来ているのかも知れなかったが、栄之助が自分の店で女を見かけたのはその程度で、言葉をかわす機会もなかった。はっきりと声を聞いたのも、いまがはじめてである。

だがおもんは、栄之助がいわゆる眼をつけていた女だった。ひと眼見て、あだっぽい女だなと思ったのだ。ただしそう思っただけで自分から近づく気はなかった。おもんはひとの妾《めかけ》である。近づくには危険な女だった。

しかしいま、猫をさがしてこちらに来るのはどうやらそのおもんのようである。栄之助の血をさわがせているのは、うまくすると、毒のある花のように近づきがたいその女と、思いがけなく親密な話が出来るかも知れないぞという期待だった。

どっちから近づくというわけでもない、何気ない出会いというやつだ。そう思うと、期待と緊張で栄之助はわくわくした。こういう形で女がからんで来ると、栄之助は目前の首尾にさっそくに気持をうばわれて、女房のおりつとの悶着、胸をこがしていた怒りなどはけろりと忘れてしまうたちである。

栄之助は猫にむかって、ち、ちと舌を鳴らした。

「おい、出て来いよ。なあ」

つかまえるのは無理かなと思いながら、精いっぱいやさしい声をかけた。猫は黙ってうずくまっていたが、栄之助がくりかえし呼ぶとみゃーおと鳴いた。そして芒の株の裏から少し前に出て来た。ただし栄之助の出方を疑ってはいるらしく、手がとどくところまでは来なかった。

「大丈夫だよ、おまえ。よし、よし、じっとしてろよ」

栄之助は膝でにじり寄ると、不意に身体を投げ出すようにして猫をつかまえた。猫はぎゃっと叫ぶと、栄之助の手に爪を立てた。

「あいた、こいつめ」

と栄之助は罵《ののし》った。

そのさわぎが聞こえたらしく、下駄を鳴らして女が近寄って来た。やはり、妾のおもんである。

「さがしているのは、この猫ですか」

「まあ、紅屋の若旦那《わかだんな》」

とおもんは言った。おもんははじめ、猫を抱いて立っている男を見てぎょっとした様子だったが、すぐに栄之助を見わけた。安堵《あんど》の声を出して近づいて来た。

「すいません。つかまえてくれたんですか」

「ばあさんなら行ってしまうところですがね、声があんたらしかったもので」

「あらあら、そんな……」

おもんはくすくす笑いながら、猫を受け取った。そのときになって手の甲の血に気づいたようである。おや、たいへんと言った。

「玉がひっ掻いたんですね」

「なに、こんなのはいいんだ」

「よくありませんよ」

おもんは身体を押しつけるようにしながら、栄之助の手を取った。むせるような女の匂《にお》いが栄之助をつつんだ。

「ちょっと、家まで来てくださいな。手当てしますから」

「いや、ほんとにいいんだ。大した傷じゃない」

栄之助は後じさりして、女から身体をはなした。深入りするつもりはなかった。軽い浮気ごころに気持をそそられただけである。

おもんは、栄之助をじっと見た。

「ウチの旦那がこわいんですか」

「まあね」

おもんの旦那は、根付《ねつけ》師だったか指物《さしもの》師だったかで、その道で名人と呼ばれている男だと聞いたようでもある。職人である。商人なら少し見当がつくが、職人は皆目わからない。そういうこわさもあると、栄之助は思った。

ふふと、おもんはふくみ笑いをした。

「それなら心配いらないのよ。旦那は他行中で、あと半月ほどは来ないもの」

「またにしよう」

と栄之助は言った。おもんの誘いは浮気ごころを掻きたてるが、栄之助は踏みとどまった。おもんの旦那がこわいこともこわいが、女房の家に浮気の詫びを言いに行った、その帰り道だったことも思い出している。

分別はよろめきながらもどって来たが、栄之助の気持はまだくすぐられたように浮き立ったままだった。折をみてぜひ遊びに来てくれと念を押し、水路わきの道をもどって行くおもんのうしろ姿にむかって、栄之助は浮き浮きと呼びかけた。

「たーま、たま」

振りむかずに、おもんがみゃーおと答えた。

「たーま、たま」

「みゃーお」

おもしろい女だよ。歩き出しながら、栄之助はくすくす笑った。とてもウマが合う女に出会ったような気がして、気分はいっこうに静まる気配がなかった。

三

「もういいですか」

「なに？」

「お説教は、もう終りですかと聞いたんです」

父親の顔がまた赤くなった。だが父親は、そばで縫物をひろげていた母親が、目くばせして首を振ると、あきらめたようにもういいと言った。嫁と孫を連れもどせなかった栄之助の腑甲斐《ふがい》なさに腹を立ててどなっただけで、べつに実のある説教をしたわけでもなかったのだ。

栄之助は立ち上がって茶の間を出た。

「いまから、どこへ行くんだ」

「『福助』で飲んで来ますよ。どなられっぱなしじゃおもしろくないですからね」

栄之助は振りむいて両親を見た。

「まだ五ツ（午後八時）前ですよ。宵《よい》の口《くち》です」

捨てぜりふを言うと、ぴしゃりと障子をしめた。だが暗い店に出ると手さぐりで棚《たな》の箱から白粉《おしろい》と貝に入っている紅をつかみ出し、紙にくるんで袂《たもと》にいれた。外に出た栄之助は、荒々しい足どりで一丁目の方にむかった。

「おもしろくないね」

口に出してつぶやいた。あたしが悪うございましたと、あっちに詫びこっちに詫びしているじゃないか。これ以上どうしろと言うんだと思うと、また夕方の強い憤懣がもどって来て、栄之助は眼《め》がくらむような気がした。

——それならそれで。

こっちにも覚悟があるよ、と思った。栄之助は息をはずませて暗い通りを歩いた。暗いと言っても、空はうす曇りでその雲のどこかに月が隠れているらしく、家並みも道もぼんやりと見わけられる。夜気は湿って、肌《はだ》を刺して来る寒さはもうなかった。

一丁目と二丁目の境の水路まで来ると、栄之助は立ちどまった。前後を見回してから水路沿いの道に曲った。その道を、栄之助はゆっくりと足音を殺して歩いた。

記憶にあるとおりだった。角のしもた屋の梅が夜目にも白く見え、そばに行くと梅は強く匂った。栄之助は角を曲った。

生垣《いけがき》の内側にすばやく入りこむと、栄之助はおもんの家の前に立った。まだ少し迷っていた。戸を叩《たた》いて家のなかに入りさえすれば、あとは女がいまのやり切れない怒りや屈辱といったものを、すっかり忘れさせてくれるだろうことはわかっていた。それをもとめてここに来たのである。ふた月も女気を慎んで来たので気持は飢え乾いている。

だが栄之助は、女とそうなることを恐れてもいた。そこには旦那がこわいということとはべつに、もっと得体の知れないこわさがあって、足が顫《ふる》えるようでもある。その果実は甘いが、喰えばかならず身体《からだ》に毒がまわるだろう。

栄之助はほとほと戸を叩いた。ただ一度叩いただけなのに、戸のむこうにすぐにいっぱいに明かりが射《さ》す気配がして、やがて戸があいた。

「いらっしゃい。やっぱり若旦那だったのね。うれしい」

「ご注文の品を持って参じましたが……」

「いいのよそんなこと言わなくとも、あたしのほかには誰もいませんから」

栄之助をなかに入れて戸をしめると、おもんは近々と身体を寄せて来た。ふたたびむせかえる女の匂いにつつまれながら、栄之助は毒がまわるならまわればいいさと思った。さかさまに地獄に落ちて行くような、嗜虐《しぎやく》的な快感に身をまかせた。

立ったままで栄之助が女を抱くと、部屋のなかにいる猫が小さく鳴いた。

朧《おぼろ》夜《よ》

一

「福助」を出た佐兵衛《さへえ》は、歩き出してからしばらくして足が酔いでもつれるのを感じた。おときという新顔の女中がすすめ上手で、ついいつもよりも酒を過ごしてしまったようである。

しかし気分がわるいわけではなかった。気分は上々である。月があって夜道が明るいので、少々足がもつれてもころぶ心配はなかった。佐兵衛はむかしおぼえた古い歌を思い出して歌った。

「風も吹かぬに妻戸の鳴るは、禿《かむろ》出てみよ殿ではないか」

月は朧月だった。そのせいか、月の光も夜気もしめっぽくうるんでいるように感じられる。町はその月明かりに照らされて静まり返っていた。道に洩《も》れる灯《ひ》のいろも見えないところをみると、人びとはもう寝静まったのかも知れなかった。

飲み過ごしているうちにすっかり夜が更《ふ》けたようだと思ったが、佐兵衛はべつにおそくなったことを気にしているわけではなかった。佐兵衛は一人暮らしの身の上で、その上世の中から一歩身をひいた隠居である。佐兵衛の帰りがおそかろうと早かろうと、気にかける者は一人もいない。

「殿じゃござりませぬ桁《けた》を走る鼠《ねずみ》じゃ、ちんちんからりのちんからり……」

佐兵衛は歌をやめて立ちどまった。そこは一丁目と二丁目を区切る水路がある場所で、屋並みが切れた空地いっぱいに月の光があふれていた。その明るい光の中で、小さく籠《こも》ったような水音がしているのは、暗渠《あんきょ》の前にある堰《せき》の音である。昼の間は町のざわめきやそこに洗い物にあつまって来る女たちの話し声にまぎれて、堰の音が耳に入って来ることなどめったにないが、夜が更けると小さな堰は生き物の声に似た音を立てるようである。

だが佐兵衛は、水音に耳をとめて立ちどまったわけではなかった。芒《すすき》の藪《やぶ》や若葉をつけはじめた柳の木などがならぶ水路沿いの道を、町通りの方にひとが近づいて来るのに気づいたからである。佐兵衛は酔眼をみはって、男が道に出て来るのを待ちうけた。自分のことはさておいて、この夜更けに町を歩いているのは誰《だれ》だろうと思ったのだ。

男はそんなところに佐兵衛が立っているとは夢にも思わないらしく、いそぎ足に道に出て来た。そして道に出たところで、まったく無防備な感じでひょいと顔をあげると佐兵衛を見た。

男は佐兵衛が顔だけは知っている人間だった。佐兵衛は男に笑いかけた。そしてこんばんはと声をかけようとしたとき、男はついと顔をそむけるといそぎ足に二丁目の通りに曲って行った。それだけでなく、男は光を遮《さえぎ》られて暗くなっている家々の軒下を拾うようにして歩いて行く。そのうしろ姿はみるみる遠くなった。

「……」

佐兵衛はあっけにとられて男を見送った。

男は小間物屋の跡とりで、名前はたしか栄之助と言ったはずである。道楽者だというわさを聞いたようでもある。しかし佐兵衛は生え抜きの町の人間ではないし、小間物屋に買物に行く用もないので、むこうがどの程度佐兵衛を見知っているかはわからなかった。

――それにしても……。

同じ二丁目に住む人間の顔も知らないということはなかろうさ、と佐兵衛は思った。げんに言葉をかわしたことはなくとも、時どき町のなかで顔を合わせているだけで、栄之助の素姓とかわるいうわさとかいうものはいつの間にか佐兵衛の耳に入って来ているのである。あの男だって、このわたしが二丁目の唐物《とうぶつ》屋の裏に住む一人暮らしの隠居だぐらいのことは聞いているに違いない。

佐兵衛には、栄之助が見せた態度が解《げ》せなかった。

――それとも……。

ひょっとしたらいまのは人違いだったかな、と佐兵衛は思い返してみた。するとにわかに自信が崩れた。眼《め》も耳もおかしくなって、むかしのように確かではなくなっている。しかもその衰えは、老いが勝手にはこんで来るもので佐兵衛の手には負えないのだ。

手に負えないものをいつまでもくよくよと思い煩《わずら》っても仕方ない、と佐兵衛は身体《からだ》の衰えに思いあたるとつい逃げ腰になる。じっさいに老年の衰えには、正体の知れない無気味なものが隠れているような気がすることがあった。正面からむかい合ったらとんでもないものを見てしまいそうで恐ろしくなる。

いまも佐兵衛は、人違いかも知れないと思うと同時に、それっきり小間物屋の息子から気持を放してしまった。月があるとはいえ、夜目で見た顔である。確かだとは言えない。それにあの息子がいまごろの時刻に一人で町をうろつき、それも人眼をはばかる盗《ぬす》っ人《と》か何かのように、暗い軒下を歩いているというのもおかしな話である。

小間物屋の息子の姿は、歩き出すとすぐに佐兵衛の脳裏から消え失せ、また陶然とした酔い心地がもどって来た。

「風も吹かぬに妻戸の鳴るは……」

夜気はうるみを帯びてあたたかかった。花見だ何だと世間がざわめいた時期はすぎたが、季節はそのまま年寄りが過ごしよい時期にむかって静かに動いているらしい。どこからか、花がにおって来るぞと佐兵衛は思い、歌いながら首を動かした。

すると、二丁目の途中にある不動さまの境内のなかにもひとがいるのが見えた。若い男女である。不動さまは門も垣《かき》もなく、通りから境内の奥に建つ古びた御堂が丸見えだが、その男女は、御堂の手前にある地蔵か何かの石の像をのせた台座に寄りかかっていた。このあたりのお店《たな》に奉公している男女が、しめし合わせて裏口から忍び出て来たというふうに見える。

佐兵衛が立ちどまって眺《なが》めていると、むこうでも気がついたらしく、二人はさりげなく台座から身体をはなして歩き出した。時どき佐兵衛を振りむきながら、今度は御堂のところに行く様子である。歩きながら、二人がしっかりと手をつないでいるのが見えた。

「ふむ」

あの二人は、いまが一番たのしいときなんだろうなと佐兵衛は思い、首を振って歩き出した。立ちどまって眺めたのは、いつかどこかで似たような光景を見たような気がしたからだが、ひょっとしたらそれは若いころの自分だったかも知れないと思いあたっている。

相手は死んだ女房《にょうぼう》である。もっとも二人は同じ店に奉公したことはなく、そのころはまだ佐吉と言って古手物《ふるてもの》の行商をしていた佐兵衛が、出入りの問屋の女中だった女房のおまさを見そめたのだ。

佐兵衛はたびたびおまさに呼び出しをかけて、問屋の裏の暗い路地で会った。そして出会いがかさなるうちに、さっきの男女のように手をにぎるだけでは気持が済まなくなり、おまさの身体のあちこちにさわったので、おびえたおまさが泣き出したこともあったのを佐兵衛は思い出している。馴《な》れそめのころの笑い話だ。だがそのおまさが死んでから、もう二年にもなる。

気持が滅入《めい》って来たので、佐兵衛は歩きながらまた歌を歌った。だが、今度はさっきのようないい声が出ずに、歌の途中であくびが出た。

「夜明の鐘が、つくつってんてん……」

あくびが済んで歌いついだとき、佐兵衛は突然に堪えがたい睡気《ねむけ》に襲われるのを感じた。家まであとひと息なのに、と思ったが、瞼《まぶた》が重くなり足がよろけて、眼の前の油屋の軒下に身体をいれるのがやっとだった。

厚い板戸に背をあずけてうずくまると、佐兵衛は首を垂れてこんこんと眠った。

二

揺り起こされて眼をあけると、もとの夜の町が眼に入って来た。佐兵衛を揺り起こした女が言った。

「眼がさめた？　だいじょうぶ？」

「おや、『福助』のねえちゃんかね」

と佐兵衛は言った。女はさっき、佐兵衛にしこたま酒をのませたおときである。

「だめじゃないのさ、いくら酔っぱらったってこんなとこに寝こんじゃ」

おときは自分が佐兵衛に酒を強《し》いたことは忘れたらしく、叱《しか》りつけるような口調で言うと、ほら、大事なものが落ちてたよと言って、佐兵衛の手に財布をわたした。

「おや、こりゃたいへんだ」

佐兵衛は言って、財布を押しいただくと懐《ふところ》にしまった。財布には「福助」の飲み代を払ってもまだ三両とちょっとの金が入っているはずである。落としたらたいへんなことになるところだったと思った。

「こんなところに寝こんじまったかね」

「そうだよ」

とおときは言った。

「はじめはおこもでも寝てるのかと思って知らんぷりで通ろうとしたんだけど、見たら羽織が見えておじいちゃんじゃないか」

「いやいや、助かりましたよ」

よっこらしょと掛け声をかけて佐兵衛が立ち上がるのを、おときは手を貸して助けた。そしてうしろに回ると、甲斐甲斐《かいがい》しく着物についた埃《ほこり》まで払ってくれた。

「おときさんだっけ？」

道に出てから、佐兵衛はおときを振りむいた。そのはずみに大きく身体がふらついたが、おときがすばやく手を出して佐兵衛をささえた。

「だいじょうぶ？」

「だいじょうぶ、だいじょうぶ」

と言ったが、佐兵衛は舌が十分に回らないのを感じた。たしかに今夜はいつもよりのみ過ぎたらしい。

「おときさん、あんたの家もこっちの方かね」

「三丁目のはずれさ。八幡《はちまん》さまの裏だよ。おじいちゃんの家は？」

「すぐそこだ」

「送って行こうか」

「いや、いや」

佐兵衛は手を振った。

「あんたに迷惑はかけられない。それに、ここまで来れば帰ったも同然だよ」

「ほんとう？」

「ほんとだとも」

と言ったとたんに、佐兵衛はひょろりとよろめいた。何ほどか、油屋の軒下でまどろんだためにかえって酔いが回ったようでもあった。しきりに足がひょろつく。

ほら、言わないこっちゃないと言って、おときが佐兵衛の腕をつかんでささえた。

「やっぱり送って行くよ。どうせ通りがかりだもの」

「そうかえ、すまないな」

と佐兵衛は言った。

唐物《とうぶつ》屋の角を左に、細い路地に入るとすぐに佐兵衛の家の前に出た。

「おや、なかが真暗じゃないか」

とおときが言った。

「もうみんな寝ちまったんじゃないのかい」

「いや、あたしは一人暮らしなんだよ」

「へえ、一人じゃさびしいね」

とおときは言った。そう言ったまま、気がかりそうに立っている。それを見て、佐兵衛が言った。

「あたしはこれからお湯をわかしてお茶をのむんだが、おときさん、あんたも一服していかないかね」

「まさか、そうもしていられないよ」

「おそくなるのがいやか」

「いいえ、ここまで来たらあとは大したことはないけど。こわかったら、そこの自身番のひとに頼んで送ってもらえばいいんだし……」

と言って、おときは自分のその言葉にうなずいた。

「そうだね、ちょっと上がってお湯ぐらいわかして上げようか。酔ってて火でも出されちゃ大事《おおごと》だからね」

おときは茶漬《ちゃづ》け屋で酌取《しゃくと》りをしている女に似げなく、台所仕事に巧みな女だった。あっと言う間に竈《かまど》に火を焚《た》きつけて湯をわかすと、佐兵衛にお茶を出し、米はどこにあるかと聞いてたちまち米をとぎ、ありあわせの干菜《ほしな》をきざんで水に漬け、明日の朝の飯の支度までしてしまった。

そうして手を動かしながら、どうして年寄りが一人で暮らしているのか、身寄りはいないのかと立てつづけにおときが聞くので、佐兵衛は火鉢《ひばち》のそばでお茶をすすりながら、ぽつりぽつりと自分の境遇を話して聞かせた。

五十になったときだから、いまから八年前のことだと佐兵衛は言った。その年、佐兵衛は隠居して商いと身代《しんだい》を伜《せがれ》の亀次郎《かめじろう》に譲った。佐兵衛の店は東両国の元町にあって、店売りだけでなく上質の上方《かみがた》下りの品物なども取り寄せておろす古手問屋《ふるてどんや》になっていた。ほかに貸金のかたに取ってそのままわが物になった家作が、本所、深川に三軒もあって、担《にな》い売りからはじめたことを考えれば、佐兵衛は商人としてひと通りの成功をおさめたと言ってもいいだろう。

だが隠居したその当時は、商いを譲る潮どきでもあったが、内実は少し商いに倦《あ》きてもいたのである。長い間気を張って商いをのばして来た疲れで、身体のぐあいまでわるくなっていた。隠居して店からはなれたときはほっとした。ところがそれが失敗だったのだ、と佐兵衛は言った。

「伜はひとりっ子で育ったから、商人としてはどっかに人間の甘いところがある。そこであたしは同業をたずね歩いて、勝気で気働きが鋭い、それでいて商いの勝手もわかるという嫁をさがしたのです」

四ツ（午後十時）を告げる入江町の鐘が鳴ったのをしおに茶の間にもどって来たおときに、佐兵衛はお茶をついで出した。だが手もとが定まらずに猫板《ねこいた》の上にお茶をこぼしてしまったので、すぐにおときが急須《きゅうす》をひき取って自分でお茶をいれた。

「それで、どうしたの？」

「さっきの鐘は四ツかいね。あんた、まだだいじょうぶかね」

やっと佐兵衛に時刻を気にする分別がもどって来た。だが、おときは笑顔で首を振った。

「お茶をいただいたら帰るから、気にしなくともいいよ」

「おそくなって、ご亭主《ていしゅ》に怒られたら大変だ」

「亭主はいないの」

おときは佐兵衛ににっと笑いかけた。頬骨《ほおぼね》が高くて毒々しいほどに紅をぬたくった口が大きく、おときは美人とは言えない顔なのに、その大きな口と細い眼に男をひきつける色気がある。背も高いので立ち姿がきれいで、新顔だが「福助」では人気があった。

「出もどりで、裏店《うらだな》に母親と弟の三人で暮らしてんだよ。おや、こっちの身の上話になっちゃって。それからどうしたのさ」

「それがいまの嫁で、あたしの思ったとおり、少しのんびりしている伜を助けてうまく店を切り回してくれた。伜ともウマが合ってね、孫も二人生まれた。あたしゃ万々歳だと思ったんだ」

だが隠居して一切を若夫婦にまかせて二、三年たつと、嫁のおくにの勝気さがにわかに表に出て来た。一番困ったのは、それまでもあまり仲がよくなかった姑《しゅうとめ》のおまさとの衝突が、急にふえたことだった。原因ははっきりしていた。おくにには以前なら自分から頭をさげたところで、今度は一歩もひかなくなったのである。

嫁姑の激烈な口論で、家の中の空気はとげとげしく陰気になった。その上嫁にやりこめられたおまさが元気をなくして寝こむようになると、佐兵衛も捨てておかれず、亀次郎と相談してしぐれ町のそれまでひとに貸していたいまの家に移って来たのである。

五年前のことだった。

嫁に家を追い出されたと、ひっきりなしに愚痴をこぼしていたおまさは二年前に心ノ臓を病んで急死した。

「そんなわけで一人暮らしになったのです」

と佐兵衛は言った。

「倅も嫁も帰って来いと言うんだが、あたしは帰ってやらないんだ」

「どうして？　一人じゃご飯を炊《た》いたり、洗い物をしたりで大変でしょうよ」

「ばあさんが死んだから帰りますじゃ、気持が済まないもんでね」

「その気持もわかるけどさ」

お茶を飲み干した茶碗《ちゃわん》を猫板にもどすと、おときは腰を上げた。

「でも、おじいちゃんはその嫁さんと仲がわるいわけじゃないんでしょ。それだったら無理しないで家に帰る方がいいと思うよ」

「おときさん、ちょっと待った」

佐兵衛は茶簞笥《ちゃだんす》の引き出しから、珊瑚《さんご》のかんざしを取り出すと土間に降りかけているおときを追った。

「これ、ほんのお礼だよ」

「あら、わるいわね」

おときはあっさりと品物を受け取った。それから佐兵衛にもう一度笑顔をむけると、また来てやるからねと言って家を出て行った。

格子戸《こうしど》に心張棒をかってから、佐兵衛は火のない火鉢のそばにもどった。部屋のなかにおときの化粧の香が濃く残っていた。その化粧の匂《にお》いに酔いをさまされたように、佐兵衛は急にあわてて財布をひっぱり出した。中身を改めたが異状はなかった。安堵《あんど》の表情をうかべて、佐兵衛は世の中には親切な女子《おなご》もいるものだと思った。

三

古手問屋萬《よろず》屋の主人亀次郎は、おそい昼飯を一人で済ませた。そして店にもどろうと立ったとき、台所からもどった女房のおくにに話があるとひきとめられた。

「いま、お茶をいれますから」

手ばやく濡《ぬ》れた手をふき、前掛けをはずすと、おくには火鉢のそばに坐《すわ》ってお茶道具の盆をひきよせた。

——何だい。

と亀次郎は思った。とっさに、まさかあのことじゃあるまいねと思った。深川門前《もんぜん》仲町《なかちょう》の子供屋（置屋）萩《はぎ》ノ家《や》に小たまという芸者がいて、その女をひいきにして二年ほどになる。小たまはいま十九だった。

まさかあんな遠い町のことがわかるわけはないと思ったが、おくには眼も耳もひと一倍聡《さと》く、気働きの鋭い女である。どこから何を聞きつけるかわかったもんじゃないという気もした。亀次郎は少し用心する気持になりながら、むっつりと席にもどった。おくにはお茶をいれて夫にすすめたが、物思わしげに顔を伏せたまま自分の茶碗にもお茶をつぎ、すぐには用件を言い出さなかった。

「話というのは何だね」

しびれをきらして、亀次郎の方がさきに口を切った。

「あたしはいそがしいんだから、用があるならはやく言いなさい」

「用と言うんじゃないんだけど……」

「……」

「おとうさんのことなんです」

とおくには言った。亀次郎はほっとしてお茶をすすった。考えすぎだったようである。しかしおくにの言葉でべつの心配がうかんで来た。

「おやじがどうかしたかい」

「あの家に女が出入りしているって言うんです」

「女？」

意表をつかれて、亀次郎はまじまじと女房の顔を見た。

「誰《だれ》がそんなことを言ったのかね」

「おはまですよ」

とおくには言った。

一人暮らしになっても、家にはもどらない、ここにいる方が気楽だとしぐれ町の家にがんばっている父親は、夫婦の頭痛の種だった。年寄りを一人でほっておくようで世間体がわるいといっても、まさか女中を雇ってまでもあの家におくことはないと、夫婦は思っているのである。結局誰かが時どき様子を見に行くしかなかった。

そしてその役目は、近ごろはもっぱら女中のおはまにまかされていた。十日に一度、おはまは着換えの下着や喰《く》い物を持ってしぐれ町に行く。おはまは一度も嫁に行くことがなく二十七になってしまった醜貌《しゅうぼう》の女だが、気持のやさしい働き者だった。

半日しぐれ町にやると、掃除、洗濯《せんたく》、つくろいものと、まるで洗い上げるように佐兵衛の身の回りをきれいにし、夜の食事をつくって帰って来る。だから、佐兵衛のことはおはまがいちばんよく知っていた。

最近おはまに聞いたところでは、佐兵衛は身体《からだ》には別条なく、ただ少しぼけがはじまったのではないかということだった。たずねて行ったおはまを見て、どなたさまでしたっけと言ったという。そんなことを聞いて、火でも出されては大変だとひそかに心配はしているものの、女のことまでは思いおよばなかったと亀次郎は思った。

「どんな女だね」

「『福助』の酌取り女ですって。おときと言うそうですよ」

「齢《とし》は？」

「二十《はたち》ぐらいじゃないかって、おはまは言ってましたけどね」

「おはまは女に会ったのかい」

「行ったら、その女がおとっつぁんの肩をもんでいたそうですよ」

「へえ」

亀次郎はにやりと笑った。一瞬、おやじもやるもんだと思ったのだが、その不謹慎な笑いをおくにはすばやく見咎《みとが》めた。機嫌《きげん》のわるい声を出した。

「笑いごとじゃありませんよ」

「それで、女との仲はどのへんまで行っているのかね」

「そんなこと、あたしが知るわけはないでしょ」

おくにはきたないものでも踏みつけたような、おぞましそうな顔をした。

「とにかくそういうことですから、いまのうちに手を打たないと……」

「手を打つって、何をするんだい」

「きまってるじゃありませんか。そのひとをおとっつぁんからひき放すんですよ」

「よけいなことはしなくともいい」

と亀次郎は言った。何となくおくにの言い方が気にいらなくて、むっとしていた。

ぴしゃりと言い足した。

「ほっときゃいいんだ」

「でも、あの家にだって物もあれば、お金もありますよ」

「その女が、物や金目あてで入りこんでいるというのかね」

「そりゃおはまの話だけじゃ、そこまではわかりませんけどね。でも、ほかに考えようがありますか、相手は二十の娘ですよ」

「ひょっとしたら、ただの親切かも知れないじゃないか」

「そんな甘いことおっしゃって」

おくには胸をひき、あきれ顔で夫を見た。それから、その顔を前によせて来ると声を落とした。

「とにかく、変な約束なんかして、あとでごたごたするのは困りますからね」

「何だい、約束というのは」

「お妾《めかけ》にしてやるとか。男のひとは、ついそんなことを言い出しかねませんからね」

「おやじにそんな元気があるなら、けっこうなことじゃないか」

亀次郎は腰をうかした。おくにの言い分に理があることはわかっていた。だが亀次郎は、母親に死なれてからこのかた、何となくおくにの理に逆らいたい気持が動いて仕方がない。おくにが右と言えば、是も非もなく左と言いたくなるのだ。それに、少々ぼけが来たという父親から、その女を取り上げるというのが、ひどく残酷な仕業のようにも思われる。気がすすまなかった。

「そっとしておけばいい。何かまずいことが起きれば、おはまが気づくだろう。始末をつけるのはそれからでもおそくはない」

「いいんですか、そんなことで」

「いい。それでいいんだ」

亀次郎は強い口調で言うと立ち上がった。店に、まだ飯を喰っていない番頭を待たせてある。

「おまえさんは少し考えすぎるんじゃないのかね。おはまがそう言ったとしても、顔見知りの『福助』の女中が、その日たまたま何かの用で立ち寄って年寄りの肩をもんでくれていたのかも知れないんだ。おやじはよく『福助』に行くらしいからね。もっとたしかめる方がいいよ」

四

だが萬屋の隠居佐兵衛は、今日もおときに肩をもんでもらっていたのである。

「ああ、極楽、極楽」

と佐兵衛は言った。しぐれ町の佐兵衛の家は、もともとは白銀《しろがね》屋という北本所原庭町の太物《ふともの》屋の隠居所に建てられた家で、狭いながら庭がついている。もっともその庭は、佐兵衛の女房おまさが死んだあとは、手入れも怠《おこた》りがちになって荒れていた。

霧のような雨を降らせていた梅雨空が、昼すぎから雲が切れて明るくなり、いまは生い茂った木の葉の間からまぶしいほどの光が庭に降りそそいでいる。佐兵衛は縁側に坐って、濁った水をたたえている池のそばのあじさいや花菖蒲《はなしょうぶ》、塀《へい》ぎわの小高い地面を覆《おお》っているどくだみの白い花などを眺《なが》めていた。

おときの手は華奢《きゃしゃ》なのに力があって、佐兵衛はときどき死んだ女房に肩をもんでもらっているような錯覚に落ちる。おまさも手に力があって、行商で石のように凝る佐兵衛の肩をよくもみほぐしてくれたのだ。

「さ、もういいよ」

と佐兵衛は言った。

「あんたも『福助』に行かなきゃ」

「もう少し」

と言って、おときは指に力をこめた。朝から凝っていた肩に、その力が快く通る。おときは三日に一度ぐらいのわりあいで佐兵衛の家をのぞき、飯の支度をしたり、ざっと掃除をしたり、ひまがあれば今日のように肩をもんでくれたりする。年寄りをかまうのが好きなのだ、と本人は言っていた。

「おときさんのおかげで、近ごろは家の中が片づいて気持がいい。これならわざわざおはまなんかに来てもらわなくともいいぐらいのものだ」

「でも、お家のひとにはそんなことを言わない方がいいよ。変に思われるから」

「もちろん、そんなことは言いはしない。内緒にしておくさ」

「でも、この前はほんとにびっくりした」

おときは佐兵衛の肩につかまりながら、くすくす笑った。すると佐兵衛の背中に触れたりはなれたりしているおときの乳房も、一緒にぶるぶると顫《ふる》えるのがわかった。

おときは気づいていないらしかったが、いくら年寄りでも、若い女の身体に触れると気持を刺戟《しげき》される。前に一度、佐兵衛は思わず味な気分になって肩の上のおときの手をなでたことがある。おときはそのときはじっとしていたが、佐兵衛がうしろの膝《ひざ》小僧《こぞう》に手をのばすと、強い力で押しのけた。

そんなことがあったので、佐兵衛は背中でおときの乳房が顫えているのに気づいてもじっとしている。

「おまさが来たときのことかい？」

佐兵衛はおはまと死んだ女房の名前を言い違えたが、おときは気づかなかったらしく、そうよと言った。

「むこうだって、びっくりしたろうさ」

「あとで、あのひとに何か言われた？」

「いいや、何にも。おはまは気持のやさしい女子《おなご》だ。あたしを責めたりはしないよ」

「そんならいいけど」

「ところで、その後おっかさんのぐあいはどうだい」

「おかげさまでいいお医者にみてもらったから、ずっとよくなったんです。おじいさんによろしく言ってくれって」

「そうかい。それはよかった」

「でも一難去ってまた一難なのよ」

おときはそう言うと、肩をもむ手をとめた。そのままじっとしている。

「また、何かあったのかね」

「弟が、お店《たな》の金を遣いこんだんです」

「そりゃあ、まずい」

佐兵衛は舌打ちした。

「いくら遣いこんだんだね」

「五両ですって」

「五両は大金だよ、おときさん」

「わるい仲間にそそのかされたんですって。お店ではそう言ってました」

おときはさっきまでとは打って変った、暗い声で言った。

「だから、その金がもどりさえすれば、表沙汰《おもてざた》にしないで許すって言ってくれたんですが、あたいにそんなお金があるわけがないでしょ」

突然佐兵衛は、背中に熱くて重いものがかぶさって来たのを感じた。おときが身体を投げかけて来たのだ。涙声で、おときが言っている。

「結局あたいは、病気のおっかさんややくざな弟のめんどうを見て、一生をおわる女なんだ」

「そんなことを言うもんじゃないって」

佐兵衛は手をうしろにまわして、おときの膝をさぐった。こりっとした肉が盛りあがっている膝小僧に手がふれたが、おときはこの前のように佐兵衛の手を振りはらったりはしなかった。

佐兵衛はいつくしむように膝小僧をなでた。少し上《うわ》の空な気分になりながら言った。

「若い娘がそんなことを言っちゃいけないよ。お金ならあたしが何とかする」

五

「やめた？」

亀次郎は、「福助」の女主人おりきをまじまじと見た。

「それはいつごろのことでしょうか」

「さあ、ひと月ほどになりますよ」

と言ってから、おりきは亀次郎の袖《そで》をひっぱって料理場の端の方に身体を移した。

そろそろ店に夕方の客が混《こ》みはじめている。

おりきは客をはばかって、声をひそめた。

「おときが、おじいさんをだましたと言うんですか」

「ま、だましたというか、何というか……」

と言ったが、亀次郎はそこではじめてにが笑いを洩《も》らした。

「ずいぶんお金をわたしたりしたらしくてね。聞いてみると、おやじ、すっからかんになっているようなんで、やっぱりだまされたんでしょうなあ」

「相すみません、萬屋さん」

おりきは頭をさげた。

「おじいさんがおときを気に入って、おときもおじいさんのことをかまって上げて、いえ、まさか家の中まで入りこんでいるとは思いませんでしたけど、酔ったおじいさんをお家まで送りとどけたりしてたのは知ってたんです」

「……」

「でも、それだって帰り道が同じ方角でしたからね。若いのに感心だと思うぐらいで、あまり気にはしていなかったんですよ。申しわけありませんでした。こちらの不行き届きです」

「いや、それはいいんですよ。べつにこちらさんのせいじゃない」

亀次郎は首を振った。

「ところで、そのおときというひとですが、母親とお店《たな》奉公の弟の三人暮らしだというのはほんとうでしょうか」

「母親と弟？」

おりきははっとしたように顔色を変えた。

「あの女はそんなことを言ったんですか。とんでもない、おときは亭主《ていしゅ》がいましたよ」

「ははあ、亭主持ち……」

「ええ、由吉《ゆうきち》とかいう同じ齢《とし》ごろの、たよりない男でね。仕事もなくて、おときが養っていたようでした」

「じゃ、やっぱりだまされたんですなあ」

と亀次郎が言った。その顔色を窺《うかが》うように見ながら、おりきが言った。

「おときの家まで行ってみますか。三丁目の八幡さまの裏っかわで、庄八店《だな》というところですけど」

「そうですな。行ってみても仕方ない気もしますがね」

「お金はどのぐらい取られたんですか」

「二十両ほどだと思います」

「二十両」

　おりきは顔色を曇らせた。そんな大層なお金をとつぶやいた。

「それじゃあの二人は、もう三丁目にいないかも知れませんね。どっちみち三丁目の自身番に寄っていらしたらどうですか。次第によっては訴え出なくちゃなりませんでしょ？」

「しかし、おやじだってまるっきりただで金をくれてやったとも思えませんしね」

　亀次郎がそう言うと、おりきは訝《いぶか》しそうな顔をし、それから少し顔を赤くした。

「まさか」

「ええ、おやじにそんな元気はないと思います。しかし、男ですから……」

　二人は不可解なものを見たように、当惑した顔を見かわした。

　亀次郎がしぐれ町の家にもどると、台所で煮物をしていたおくにがいそいで玄関に出て来た。

「どうでした？」

「だまされてたんだよ、やっぱり」

「それで？」

「女はいなかった。取るものを取って逃げたんだろうな」

「まあ、くやしい。訴えてやりましょうよ、おまえさん」

「ばかを言いなさい。そんなことを訴え出て、おやじがお白洲《しらす》に呼ばれたら、萬屋の恥をさらすだけじゃないか」

「だからこうなる前に手を打ちなさいと言ったんです。あんたがぐずだから」

「ぐずとは何だ。言っていいこととわるいことがあるぞ。第一あたしゃね、おまえのそうして亭主に命令する口が気にいらないんだ。口をつつしみなさい、口を」

玄関で夫婦がどなり合っているのを、佐兵衛は耳を澄まして聞いた。それからうつむいてうす笑いを洩らした。

——たかが二十両ぐらいの金で……。

あわてふためいて、みっともないやつらだと思った。それにおときは逃げたわけじゃないよとも思った。おはまが来たり、倅《せがれ》夫婦が来たりしているから遠慮して近づかないだけで、家が静かになればまたやって来るさ。

佐兵衛は、手にあまるほど大きくてなめらかだったおときの膝小僧を思い出している。恍惚《こうこつ》とした幸福感に襲われていた。

ふたたび猫《ねこ》

一

紅屋の栄之助は、水路わきの道を大通りにむかって足早に歩いていた。おもんの家から帰るときは、どうしてもひとに追われるようないそぎ足になる。

ひとの妾《めかけ》であるおもんと知り合ってからあらまし三月《みつき》ほどたつが、栄之助は時がたって倦《あ》きるどころか、少しずつおもんに対する執着が深まるような気がして、空おそろしくなることがある。おもんは、予想にたがわず男を狂わせる身体《からだ》と気転の利《き》く頭を持つ女だった。おもんと一緒にいると、一刻《いっとき》の逢瀬《おうせ》が短く感じられた。

栄之助は、おもんの家に行くときは気もそぞろで、まさか刃物を持っているわけではないけれども、じゃまする者は刃物で刺しかねないほどの気持になっている。頭の中にはおもんの白い身体が跳びはねていて、世間もしぐれ町の町並みも、視野のはじっこにほんの少し見えているだけだった。

だが帰るときは、栄之助の気持は往《ゆ》きとは逆になっている。あれほどさわぎ立てた欲望は、掻《か》き消えたようにどこかに行ってしまい、かわりに栄之助をしっかとつかまえているのは、世間に対する恐怖である。

正気にもどれば、ひとの妾と通じているこわさはたとえようがなかった。そのこわさの中には、むろんおもんの旦那《だんな》に知れたら刃物沙汰《ざた》になりかねないという直接の恐怖が含まれていて、栄之助はいつかおもんの家でその旦那とばったり顔を合わせてしまうのではないかとびくびくしていたが、それにも増してこわいのは世間の眼《め》だった。

女房《にょうぼう》が子供をつれて実家にもどったまま半年ちかくにもなるというので、もうすでに栄之助は世間から物問いたげな眼で見られていた。しかしそれだけのことなら、まだ家の中のことである。嫁さんはどうしましたと聞く者がいると、栄之助は身体をわるくして実家に休みに行ってますと答えることにしているが、聞いた者はうすうすほんとうの事情を耳にしていても、それ以上は他人の家の中に踏みこむような聞き方はしない。

しかし栄之助が、女房、子供の留守をいいことに、ひとの囲い者といい仲になっているなどということがばれれば、世間の見る眼はぐっときびしくなり、かならず栄之助を非難する者が出て来るだろうし、女房のおりつの不在にも改めて穿鑿《せんさく》の眼がそそがれるに違いないのである。

うわさがひろまって、いい加減な男だと世間からいっせいに爪《つま》はじきされるのもこわいが、店が女相手の小間物商いだけに、そのわるいうわさはいつどんな形で商売にはね返って来るか知れたものではない。甘くみると、とんでもないことになるよ。

そう思うだけの分別は栄之助にもあって、おもんの家からの帰り道になると、おそまきながらその分別が胸にもどって来る。といっても、おもんとつき合っていることを後悔したり、もう行くのをやめようとまで考えているわけではなかった。ただ身も竦《すく》むほどに世間のこわさを感じるだけである。いまも、うつむき加減に足をいそがせながら、栄之助の眼と耳は、臆病《おくびょう》な小鳥さながらに落ちつきなく世間を窺《うかが》っている。

季節は梅雨に入って、一日中降ったりやんだりしていた空模様が、夕方になってぱたりと雨がやんでしまったのもぐあいのわるいことだった。日は落ちたものの、西空の雲が切れてそこから最後の微光が町にさしかけている。その明るみを頼りに、町に買物に出るひとだっているに違いない。用心しなきゃ、と栄之助は思った。

ほんとはもう少し暗くなるまでおもんの家にいたかったのだが、今夜は約束の日ではないがどうも旦那が来そうな気がするとおもんが言い出したので、いそいで出て来たのである。おもんは用心深い女で、間男《まおとこ》としてはおもんの意見を尊重せざるを得ない。

水路わきの道ばたには、水の上にかぶさるようにして灌木《かんぼく》の枝葉が生い茂り、その下を流れる水は暗くて見えなかった。灌木の茂みのところどころに丈高いねむの木やえごの木が立っている。えごの木は白く小さい花をつけていた。ひょっとしたら、帰り道でおもんの旦那に会いはしないかと心配したが、そんなこともなく、栄之助はしぐれ町の通りが見える場所まで来た。

――あのときは……。

びっくりしたっけと、栄之助はまだ春の気配が残っていたころの夜のことを思い出している。おぼろ月のうるんだような光の中を、別れて来たおもんのことを考えながらぼんやりと歩いていると、通りに出たところでいきなり唐物《とうぶつ》屋の裏に住む隠居と顔を合わせてしまったのである。隠居はかなりきこし召している様子だったが、それでもこの夜更《よふ》けにどこの帰りかと栄之助を怪しんだに違いない。

あれだから油断出来ない、今日は大丈夫かと思いながら、栄之助は用心深く通りに出た。左を見、つぎに右を見ると、そこに立っていた男がにっこり笑って近寄って来た。

髪に白髪《しらが》がまじる五十年配のその男は、隣町林町に糸問屋の店を持つ駿河屋《するがや》宗右衛《そうえ》門《もん》である。栄之助夫婦の仲人《なこうど》だった。笑顔を栄之助にむけたままで、駿河屋は言った。

「いま、お家の方に行って来たところです。ちょうどよかった。そのへんで一杯やりましょうか」

二

「福助」の畳敷きの席に落ちつくと、栄之助は居心地わるく眼を伏せた。ひとには知られていまいと思っても、色女の家からの帰りである。顔が上げられなかった。酒が来ると、栄之助はいそいで駿河屋に酒をついだ。

「ま、おらくにしてください」

言いながら、駿河屋はすばやく銚子《ちょうし》を奪って栄之助に酒をつぎ返した。物馴《ものな》れた身のこなしに見えた。

「今日お家にうかがったのは、むろんおりつさんのことです」

栄之助は、ちらと眼を上げて駿河屋を見た。いよいよ離縁話かと一瞬ぎくりとしたのだが、駿河屋は面長《おもなが》の品のいい顔におだやかな笑いをうかべている。笑顔のままで言った。

「どうするつもりですか、いつまでもあのままにはしておけませんよ、栄之助さん」

「親たちは、どう言っていました？」

「親御さんのお考えはお考えとして、まずあなたのご意見を聞きたいものですな」

「私の考えは……」

と言いかけたとき、栄之助の胸に忘れていた憤懣《ふんまん》がどっとあふれ出て来た。先方の親たちには木で鼻をくくったような応対をされ、おりつ本人は姿も見せなかった屈辱的な日のことが思い出されて、栄之助は唇《くちびる》を噛《か》んだ。

「三月前に一度たずねたきりで、そのあとは蔵前《くらまえ》片町の方はのぞきもしていないそうじゃないですか」

「ええ」

「行って来いといくらすすめても、本人が迎えに行く気がないのでどうしようもないと、親御さんたちも心配していますよ」

「迎えには行きました。しかし手荒く恥をかかされましてね。まるで、何しに来たという扱いでしたよ」

栄之助は、そのときのことをくわしく話した。話しているうちに強い怒りがこみ上げて来て、栄之助はおりつが離縁したいと言えば離縁してやってもいいんだとまで思った。

駿河屋はちびちびと盃《さかずき》を傾けながら、おだやかな笑顔で聞いている。そして突然に言った。

「なるほど。それで二丁目のお妾さん、何と言ったっけ、あのひとと仲よくすることにしたわけですかな」

「え？」

栄之助は言ったきり、声が出なくなった。顔がひきつり、身体が熱くなったりつめたくなったりするのがわかった。少しおくれて、身も世もないほどの恥ずかしさと漠《ばく》然《ぜん》とした恐怖がやって来て、身体を縛った。駿河屋は銚子をつかんで、栄之助の盃に酒をついだ。

「お飲みなさい。気持がらくになりますよ」

「……」

「お妾さんのことですがね、栄之助さん。あんたいったい、いつまでつづけるつもりですか」

「……」

「あたしの耳に入るぐらいだから、そのことはもうあちこちに洩《も》れてると考えないとねえ。女の旦那は香具師《やし》だそうじゃないですか」

「え？　香具師ですって？」

「おや、違うんですか」

「私は職人の親方と聞いてますけど」

「ああ、そう……」

駿河屋は栄之助をじっと見た。笑顔は消えて、少しつめたい眼になっている。

「ま、どっちにしても、いい気分で鼻の下をのばしていると、あなた命取りになりますよ」

「……」

「それはともかく、話をおりつさんにもどしましょうか」

栄之助は盃をつかむと、ひと息に酒を飲んだ。そして盃をもどしながらすばやく店の中を窺ったのは、混乱している頭の中を、いま駿河屋としている話をひとに聞かれてはならないという考えが横切ったからである。

だが、灯《ひ》をともしたばかりの店はまだ客の姿は少なかった。料理場のすぐ前の腰掛けに三人連れの客がいて、酌《しゃく》をしている女主人のおりきと高笑いで話しこんでいるほかは、入口に近い方の畳敷きの上で、お店者《たなもの》ふうの中年男が茶漬《ちゃづ》け飯を喰《く》っているだけである。誰《だれ》も栄之助を見たり、話に聞き耳を立てたりはしていなかった。

駿河屋は、また空《から》になった栄之助の盃に酒をついでくれた。そして言った。

「じつを言いますとね」

駿河屋は自分も手酌で一杯飲んだ。そしてまた笑顔になった。

「おりつさんがあたしの家に来たんです」

「え？　それはいつのことですか」

「昨日です」

駿河屋のあいまいな笑顔が、はっきりした笑いに変った。駿河屋は低い笑い声を立てた。

「怪我《けが》の功名ですかな、栄之助さん。香具師のお妾さんと妙な仲になったのは感心しませんが、あなた、おりつさんを三月もほっておいたでしょう。それが幸いしました。大きな声じゃ言えませんが、なに、男はそれぐらいでいいのです。いや、浮気《うわき》のことじゃなくてほっておくということ。あまりへいこらすると女子《おなご》に甘くみられます」

「…………」

「いつまでも片づかなくて結局誰が困るかといえば、そりゃおりつさんですよ。子供を抱えていることでもあるし、たまりかねてあのひとの方から出て来たわけでしょう」

「そうですか」

「いずれそんなことになるんじゃないかと思ってましたからね。つめたいようだったが、あたしもここしばらくは黙って様子を見ていたのです。というのも事の起こりはあんたの浮気で、あんたがわるいには違いないが、おりつさんもわがままだった。そして、それにしては片町の態度が大きかったもので、あんたがむくれた気持もわからないじゃなかった」

「それで、おりつはどう言ってました？」

「それそれ。近ごろどうしているかと、しきりにあんたの様子を聞いていましたな。まさか浮気を嗅《か》ぎつけたとも思えませんが、あまり音沙汰がないのでそっちの方も気になって来たんじゃないですか」

駿河屋はまた笑い声を立てた。いくらか酒の酔いが回っているようでもあった。

「とにかく、そろそろもどりたがっている気持がありありと見えましてね。ここはひとつ考えどきじゃないでしょうか、栄之助さん」

そうか、おりつのやつもどりたがっているのかと栄之助は思った。すると突然に、子供一人を産んでいるのにまだどこかに幼い固さを残しているおりつの身体が、視野いっぱいに膨らむのを感じた。おもんのようなやわらかさはないが、そのかわりに紐《ひも》を解くとしみひとつなくのびのびと豊かに見えた身体。

栄之助は、駿河屋の声をぼんやりと聞いた。

「これ以上ほっておくと、話がまたこじれます。もどすにはいまが一番の時期ですな。あ、それからあちらの方とはきっぱりと手を切らなくちゃいけませんよ、栄之助さん」

三

書きものが一段落したらしく、手をさしのべて背のびした書役《かきやく》の万平が、急に顔をしかめて腰に手をやった。

気配でそれがわかった大家の清兵衛は、眺《なが》めていた浄瑠璃本《じょうるりぼん》から眼を上げて万平を見た。

「どうしました?」

「今度は腰ですよ。梅雨に入ってからずっと腰が痛んでるんです。あたしもいよいよお勤めから身をひく時期が来ました」

いつもの愚痴なので、清兵衛は聞こえないふりをして立つと、茶道具が入っている盆を持って火鉢のそばに行った。雨が降りつづいて、ここ二、三日は春先のように底冷えのする日がつづいているので、番人の善六は箱火鉢《はこひばち》に火をおこしていた。炭火の上にかけてある鉄瓶《てつびん》がジーと鳴って、鉄瓶の口から白い湯気が出ている。清兵衛は言った。

「冷えますな。お茶をいれましょう」

「これはどうも」

万平は手をこすった。そして清兵衛が愚痴には乗って来ないとみたか、別の話をした。

「紅屋の嫁がもどってますよ」

「へえ？　いつごろから？」

「それさ、半月ほどになるんじゃないですか」

「それは知らなかった」

と言って、清兵衛は持ち上げた鉄瓶を火鉢にもどすと、万平の顔を見た。声をひそめた。

「それで、あの女とは切れたんでしょうな」

「いや、それがね。三丁目の友助の話によると、まだつづいているというのです」

答えた万平の声も低かった。二人は当惑したような顔を見合わせた。そのとき、雨の中を、使いに出した善六がもどって来た足音がした。

四

「おかみさんが帰っていたんですね。あたしびっくりしちゃった」

とおもんが言った。

「このところ急に足が遠くなったから、何かあるとは思ってたんですよ」

「……」

「でも、男って現金だな。やっぱりおかみさんの方がいいですか」

「いや、そんなんじゃないよ」

「じゃ、どうなんですか」

「……」

「いままでのように、気楽には家を出られないってこと？」

「まあ、そうだ」

「はっきりしない返事ね。内心はおかみさんがもどったから、もうこっちとは手を切りたいというんじゃないですか」

「まさか、そんなことは考えていないよ」

「そうでしょうね。女房に逃げられたその間だけ、金のかからない女で間に合わせようというのは少し虫が好すぎますからね」

「おれはそんなみみっちい男じゃないよ。二人はウマが合っているって、あんただって言ってたじゃないか。もう少し信用してもらいたいもんだね。ただ……」

「ただ、なあに？」

「あんたの旦那《だんな》は香具師だそうじゃないか」

「誰がそんなことを言ったんですか。あら、いやだ」

おもんはくすくす笑った。

「こわがることはありませんよ、ただの根付師の親方なんだから。それに年寄りだし、喧嘩《けんか》したってあんたにかないっこない……」

おもんがそこまで言ったとき、台所でがたりと大きな音がして栄之助は顔色が変った。

「大丈夫。玉が外から帰って来たんですよ」

おもんは畳の上の茶碗《ちゃわん》を横に片づけると、膝《ひざ》をすべらせて栄之助に身体《からだ》をもたせかけた。

「今夜はどうするんですか。旦那は来ませんけど」

栄之助は、猫《ねこ》がのそのそと茶の間に入って来るのを見ていた。猫はいったん部屋の隅《すみ》に坐《すわ》りこんで丹念に毛づくろいをした。そしてそれが済むと栄之助を見て小さく鳴き、部屋を横切って来て栄之助の膝に乗った。そのまま猫は身体をまるめた。

急に身体をはなしたおもんが、栄之助を見て言った。

「別れるなんていやですからね。若旦那が来なくなったら、あたしの方からお店に押しかけます。おぼえておいてくださいよ」

栄之助は針のむしろに坐っているようだった。店に猫を抱いたおもんが来ている。相手をしているのは番頭で、帳場の栄之助はなるべくそちらを見ないようにしている。おもんがはやく帰ってくれればいいと念じていた。

「おまえさん、ちょっと」

奥から出て来たおりつがそばに坐った。

「おかあさんがお寺詣《てらまい》りに行くと言うんだけど……。あら、この猫」

どうしたのかしらと、おりつの声は疑惑をふくんだつぶやきに変り、栄之助はおりつの前を通って帳場に入りこんだ猫が自分の膝に上がって来て、さも居心地よさそうに身体をまるめるのを茫然《ぼうぜん》と見た。おりつがおもんを見、おもんもおりつを見ているのが顔を上げなくともわかったが、栄之助は手も足も出なかった。

日盛り

一

お使いが済んで道に出ると、新吉が長太を振りむいた。

「橋に行く？　軽業《かるわざ》を見て帰ろうよ」

長太は眼《め》をかがやかせたが、すぐに首を振った。

「だめだよ、銭持ってないもの」

「ばかだなあ。あたいだってそんなお金は持ってないよ、小屋の外から見るだけさ」

「あ、そうか」

「ああいう小屋は、子供だけで入っちゃいけないんだ。さらわれて軽業小僧にされちやうって、おっかさんが言ってたよ」

「よし。じゃ、行こう」

二人は本所元町を抜けて、東両国の広場に出た。両国橋の袂《たもと》から尾上町のきわまで、葭簀《よしず》囲いの軽業小屋、吹矢、大道手妻、物売りなどがならんでひとが混《こ》んでいる。二人はひとの流れを横切って、軽業小屋に近づいた。

時刻が七ツ（午後四時）を過ぎたせいか、入口の台の上にいる呼びこみ男は姿を消していた。二人は葭簀の合わせ目から、かわるがわる小屋の中をのぞき、それから立っている大人の間に首を突っこんで、吹矢と手妻を見た。その間に、新吉が棒飴《ぼうあめ》を買って長太にくれた。

「帰ろうか」

と新吉が言ったとき、長太はまだ少し手妻に未練があったが、いさぎよくうんと言った。

新吉の家は草履問屋である。長太は、東両国までお使いに行くから一緒に行かないかと、新吉に誘われてついて来たのだが、新吉が、店に品物をおさめている職人の家だという元町のたずね先でしっかりと使いの口上を述べ、使いが終ると世馴《よな》れたふうに盛り場に誘い、あげくに棒飴まで買ってくれたのに、少し気圧《けお》された気持になっている。

――新ちゃんは大人だな。

と思いながら、長太は新吉の後について、広場から尾上町の町並みの方に歩いて行った。二人は同い齢《どし》の十だが、新吉の方が背丈があり、言うこともすることも大人びて、ひとつふたつは年上に見えるのを長太は認めざるを得ない。長太はチビだった。長太の胸を不安がよぎった。おいとちゃんを新吉に取られたらどうしようと思ったのである。それはいまにかぎらず、時どき長太の胸にうかんで来る心配だった。

チビで、ただそれだけの理由で長太は遊び友だちにいじめられることがあったが、一度もそういう仲間に加わらず、時には喧嘩《けんか》腰《ごし》で長太をかばってくれる友だちが二人いた。新吉とおいとである。おいとはやはり二丁目の油屋の娘で、長太たちよりひとつ年上である。三人は気が合って、よく一緒に遊んだ。路上や不動さまの境内で遊ぶこともあったが、新吉の家やおいとの家に行って遊ぶこともあった。だが新吉とおいとが長太の家に来ることは、めったにない。長太の家は裏店《うらだな》で、狭い家の中で父親が仕事をしているからである。

長太はおいとが好きだった。よく見ると青味を帯びている白眼も、皮膚の下に血のいろが動いているような頬《ほお》も、うぶ毛がはえている首筋もみんな好きで、おいとのことを考えると顔がほてって来ることがある。

だから、一年ほど前に母親が若い男にだまされて家から出て行ったときも、長太はまっさきにそのことをおいとに知らせたのだった。

「あら、まあ」

とおいとは言った。それはおいとの口ぐせだったが、そう言って思慮深そうに首をかしげると、おいとはまるで大人の女のように神秘的に見えた。

しばらく思案したあとで、おいとは長太に言った。

「長ちゃん、いまのこと、あんまりひとに言わない方がいいんじゃないの」

「ひとになんか、言わないよ」

長太は心外だった。大事な秘密を打ち明けたのは、相手がおいとなればこそである。

「おいとちゃんだけに知らせたんだ。ほかには誰《だれ》にも話す気なんかないよ」

「そう、ありがとう」

おいとはにっこり笑って、それならあたしも誰にも言わないと約束し、気を落とさないでがんばってねと、大人が言うようなことを言った。

そんなこともあって、長太はおいとも自分を好いてくれているに違いないと思っているのだが、時どきふっと、自分の頭越しに新吉とおいとが大人びた目くばせをかわしているように疑うことがあった。大方はいまのように、新吉が自分よりはるかに大人びて見えるときに、そういう気分がやって来る。

長太は口の中に残っている飴が、急に味を失ったように感じた。長太は先を行く新吉から、少しおくれてぶらぶらついて行った。二人は尾上町と元町の間を抜けて、一ノ橋の袂に出ようとしていた。

突然に、長太は自分の名を呼ぶ母親の声を聞いた。

「長太、長太」

と、その声は呼んでいる。長太がきょろきょろとあたりを見回すと、いま通りすぎて来た尾上町のはずれの居酒屋ふうの家の前に、母親が立っていた。

母親は頭を姉さんかぶりにし、袖《そで》をたすきでくくって前垂れをしめていた。そして長太が気づいたのをみると、男をつくって逃げたことを恥じるふうもなく、厚化粧の顔を笑いで崩した。そしてなまっちろい腕を上げて、勢いよくおいでおいでをした。

「ちょっとおいで。話があるから」

長太は新吉をふりむいた。新吉ははなれたところに立ちどまって長太と母親を見くらべるようにしていたが、長太がふりむくと、無言のままもどって話を聞いて来いという身ぶりをした。やはり大人びた身ぶりと表情に見えた。

長太ははずかしかった。うつむいて、のろのろと母親の方にもどった。

二

長太が新吉と別れて家にもどると、父親の重助は、油が乾いた櫛《くし》を一枚一枚丁寧に紙につつんでいるところだった。外はまだ明るいのに、家の中はうす暗くてむし暑い熱気がこもっていた。

土間に入って、長太が突っ立っていると重助がちらりと眼を上げた。

「おそかったな」

と重助は言ったが、べつに咎《とが》めている声ではなかった。手をやすめずに言葉をつづけた。

「うさぎ屋に品物をとどけて来る。飯はそれからだ。いいな」

「……………」

「もう外にはいくな。家で待ってろ」

うさぎ屋というのは、重助が櫛をおさめている徳右衛門町の小間物屋である。

「すぐ、もどって来る」

重助は言ったが、うつむいて土間に立っている長太に、やっと不審を持ったらしい。櫛の包みを風呂敷《ふろしき》につつみながら言った。

「どうした？」

「……………」

「何かあったのか」

「……」

「どうしたと聞いてるんだ」

父親の声が荒くなったので、長太はあわてて言った。

「今日、おっかあに会った」

「……」

今度は父親の方がむっと黙りこんだ。顔も上げずに槲形ややすり、鉋《かんな》、艶出《つやだ》しの棕《しゅ》櫚《ろ》などを道具箱にしまい、最後に立って歯《は》挽《び》きの鋸《のこぎり》をうしろの羽目板に掛けた。

長太がそういう父親の姿を眼で追っていると、重助はようやくちらりと長太に眼をもどした。前垂れをはずして茶の間に入りながら、重助が言った。

「どこで会ったんだ」

「両国橋のとこ。軽業なんかがある町だよ」

「そんなとこへ、何しに行ったんだ」

茶の間の奥にいる父親の声がわずかに怒気を帯びたのを感じて、長太は口をつぐんだ。

「どうした？　返事をしろ」

「新ちゃんが軽業見ようって言ったから」

「軽業を見たのか、ばかやろう」

「ちがうよ、外からのぞいただけだよ」

と言ったが、長太は棒飴をもらったことは内緒にする方がいいかも知れないと思った。

「それからどうした」

と言ってから、父親は思いがけない軽口をたたいた。

「まさか、おっかあが軽業をしてたわけじゃあるめえ」

「ちがうよ」

長太はいそいで言った。父親が母親のおはつのことをおっかあと言ったのがうれしくて、長太はほんの一瞬だが、親子三人の何事もなかったむかしの日々がもどって来たのを見たような気がした。

長太は声をはずませて言った。

「おっかあがいるのは、大人が酒を飲む店だよ。そこで働いてるんだって」

「……」

「ちゃんのことも聞いたよ。変りないかって」

「……」

「それから、誰かおまんまや着る物の世話をしてくれる女のひとはいるのかって聞くから、いないと言った。おすまおばさんのことは言わなかったよ。そしたら、おっかあはちゃんに会いたいんだって」

茶の間から、着換えた父親が出て来た。さっきあんな軽口をたたいたのに、父親は気むずかしげな顔をし、櫛をつつんだ風呂敷を持つと長太の前に立った。

「おっかあのことは、ほっとけ」

父親は不機嫌《ふきげん》な声で言った。

「おっかあはな、ちゃんとおめえが嫌《きら》いで、この家から逃げ出した女だ。かまうんじゃねえ。その店にも、二度と行っちゃならねえぞ」

「だって、おっかあは病気で心細いって言ってたよ」

「自業自得《じごうじとく》だ」

父親の重助は、吐き捨てるように言うと、土間に降りて履物《はきもの》をつっかけ、立っている長太を押しのけるようにして外に出て行った。

長太には、最後に言った父親の言葉の意味がよくわからなかったが、何となく自分のことは自分でしろということではないかという気がした。すると、顔にお面をかぶったように白粉《おしろい》を塗りたくった母親の顔がうかんで来て、急に母親がかわいそうになった。

――それにしても……。

ちゃんはなんで、急に機嫌がわるくなったんだろう、と長太は思った。母親の消息を聞かせたときにはべつに怒っているふうでもなかったのに、急に不機嫌になったのは、ひょっとしたらおすまおばさんのことを口にしたからかも知れないという気もした。

おすまは、同じ裏店に住む子持ちの後家である。色が白くて平べったい顔をしたおすまが、ついでだから洗濯物《せんたくもの》を出しなさいよとか、茄子《なす》の煮物を余分に作っちゃったからとか、何かと親子二人の暮らしに首を突っこみたがるのを、父親が喜んでいないのを長太は知っている。長太もおすまが嫌いだった。太って厚化粧をしていても、自分の母親の方がいい。

長太は草履をぬいで、暗い家の中に入った。

三

「ふーん、相談てそういうことなの」

とおいとが言った。そして少し眉《まゆ》をしかめた大人っぽい表情で長太を見た。

「それで、長ちゃんの気持はどっちなのよ」

「……………」

「おっかさんのとこに行きたいの、行きたくないの」

「そりゃ行きたいよ」

「でも、行っておとっつぁんに怒られるのもいやなのよね」

「うん」

「じゃあねえ」

おいとはうつむいて言葉をさがしていたが、すぐに顔を上げた。

「おっかさんに会いたい気持と、おとっつぁんに怒られるこわさと、どっちが大きいか」

「うーんと……」

長太は首をひねった。むつかしい選択をせまられているという気がした。

「わかんねえや」

「だめじゃないのさ」

とおいとは叱《しか》った。

「そこが肝心のところじゃないのよ」

二人が話しているのは、不動さまの境内の中である。真昼近い強い日射《ひざ》しがふりそそいでいる境内には、二人よりもっと年下の子供たちが群れて、石蹴《いしけ》りや鬼ごっこをしていた。御堂わきの木立に入りこんでいる男の子たちは、虫をさがしているのだろう。

――みんな、ガキだ。

と長太は思った。そして、おいとを相手に大人っぽい悩みごとの相談をしているおれは、もうガキじゃねえぞ、とも思った。そのことが誇らしくて、長太は胸に悩みごとを抱える男にふさわしい表情をつくろうとした。

「ねえ」

おいとが声をひそめて、少し身体《からだ》を寄せて来た。二人は鼻が欠けた石の地蔵さまの台座によりかかっている。おいとが身体を近づけると、日盛りの草いきれのような匂《にお》いがした。

おいとは鼻の頭に汗をかいていた。ほんの少し甘さがまじる草いきれのような匂いには、おいとの汗の香がまじっているのかも知れなかった。長太は思わずおいとの衿《えり》のあわせ目のあたりを盗み見て、上気しているようなももいろの胸もとが眼に入ると、あわてて顔をそむけた。

だがおいとは気づかなかったらしく、もう一度、ねえと言った。

「長ちゃんのおっかさんは、若い男のひとと一緒に逃げたんでしょ」

「うん」

「いまは、そのひとと別れてしまったのかしら」

長太はいきなり脳天をなぐられたような気がした。そうか、そのことをすっかり忘れていたと思った。もし母親が、いまもその男と一緒にいるんなら、ちゃんに会いたいなどと言ってもだめだ。たとえ病気で心細かろうと、何と言ったっけ？　そうそう、ジゴウジトクだ。自分でやるしかないのだ。

しかしそのひとと別れて、一人で病気をしているのだとしたら、と考えたとき、長太は自分のやらなければならないことがわかった気がした。長太はおいとに言った。

「おれ、やっぱりおっかあのところに行って来る」

「そう」

「おいとちゃんが言ったことを、たしかめて来るんだ」

「それがいいわよ」

「たしかめてさ、もしおっかあがひとりぼっちだったら、ほっとけないもんな」

長太は昂然《こうぜん》と言い、いまのおれはおいとの眼《め》に少しは男らしく見えただろうかと思った。

しかしおいとにはそう言ったものの、長太はすぐには東両国に行かなかった。

小屋がかかり、大道の見世物や物売りがあつまる東両国は、子供たちの胸をおどらせる場所だったが、一人で行くにはこわい町でもあった。しぐれ町からは少々遠く、その遠さも盛り場のこわさを増幅する作用をする。

だがすぐに行かなかったのはそれだけが理由ではなく、父親の仕事がいそがしくなったせいでもあった。大きな注文が入って、父親は朝早くから夜おそくまで仕事にかかりきりになった。そういうときは、長太は朝晩の飯の支度をし、その合間に棕櫚を使って櫛の艶出しをする仕事を手伝うのである。

やっと手が空《あ》いたときは、東両国で母親に会ってから十日ほどたっていた。父親が、仕上げた櫛の荷を手にさげて家を出て行くのを見とどけるとすぐに、長太は家を出た。時刻はもう七ツ（午後四時）に近かったので、長太は小走りに町を駆けた。

二ノ橋を対岸の相生町《あいおい》にわたっているとき、はたして七ツの鐘が聞こえて来た。空はいったん明けた梅雨がまたもどって来たような曇りだった。見わたすかぎり灰色の雲が空を埋めつくして町は暗かった。小走りに駆けたり歩いたりしてしぐれ町から遠ざかるにつれて、長太は心細さで胸がしめつけられるような気がして来た。この間新吉と二人で歩いたばかりの道なのに、人影もまばらな町が、まるではじめて来た町のように様子が変って見える。

——暗くならないうちに……。

いそいで行って来なくちゃと思いながら、長太はまた息をはずませて走った。

かなりの間口がある縄《なわ》のれんのその店の前に立ったとき、長太は息が切れてしばらくは物も言えずに喘《あえ》いだ。そして息が静まったとき、今度は新しい心配に襲われていた。眼の前の障子がぴったりとしまって、家の中があまりに静かだったからである。

長太は力いっぱいに戸をあけた。だが心配したように店は休みではなく、中にいた十人ほどの男女がいっせいに長太を見た。年配の頭に鉢巻《はちまき》をしめた男が言った。

「何か用かい、ぼうず」

「おっかあいますか」

「おっかあって、誰《だれ》だい」

「おはつです」

「おはつは病気で寝てるよ」

と男が言った。

四

「ゆうべ、松井町で泥棒《どろぼう》さわぎがあったことは……」

岡《おか》っ引《ぴき》の島七は、上がり框《かまち》に腰をおろすと懐《ふところ》から手ぬぐいを出し、言いかけた言葉を途中にして顔から首、さらに胸もとへとしたたる汗をごしごしとふいた。小太りで色白な島七の肌《はだ》は、真赤になった。

「大瀬の旦那《だんな》に聞いたと思いますが……」

「はい、聞きましたよ」

と大家《おおや》の清兵衛は言った。

「それで？　その泥棒というのは？」

「やっぱり、例のやつでした」

島七は、丸顔の眉間《みけん》に縦じわをよせて、清兵衛にうなずいてみせた。

「これまでは川向うだけだったんで、安心と言っちゃナニですがひとごとのように思っていましたけど、今度はいよいよ足もとに火がついたというわけですよ」

島七は手ぬぐいを懐にしまうと、お水を一杯もらえませんかと言った。清兵衛が、お茶の方がよかったらお茶をいれますよと言ったが、島七が水がいいと言うので、番人の善六が湯呑《ゆの》みに水を汲《く》んで島七に渡した。

竪川《たてかわ》から北の本所の町一帯に、ひんぴんと夜盗が出没するようになったのは、去年の秋口からである。と言っても、はじめのころはせいぜいふた月に一度ぐらいのさわぎだったのだが、今年の春先から泥棒さわぎは急にふえて月に一度、先月などは月のうちに二度も起き、しかもそれは同一人のしわざであることがはっきりしたので、本所の町はいま恐怖にふるえ上がっているのだった。

盗みの時刻は四ツ（午後十時）過ぎから九ツ（午前零時）あたりの、いわゆるひとの寝入りばな。残っている足あとから泥棒は一人で、外から戸を一枚はずしてしのびこむのが常用の手口だが、かなり高い窓から侵入することもある。誰にも姿を見られていないせいもあるだろうが、まだひとを傷つけたことはない。これまでの調べでわかっているのは、その程度のことにすぎなかった。

泥棒に入られたのは亀沢町《かめざわちょう》、横網町《よこあみ》、本所元町、相生町《あいおい》、松坂町のいずれも表通りにある商い店だが、大胆不敵な泥棒は、ほかに相生町裏にある矢野という旗本屋敷にも侵入して、金を盗み出したらしい。

そういう話を、しぐれ町あたりでは文字どおり対岸の火災視して、おもしろ半分に聞いていたのだが、泥棒が川を越えて地つづきの松井町に現われたとなると、島七が言うように話はひとごとではなくなったのである。清兵衛と書役の万平は顔を見あわせた。

もっとも、松井町の雪駄《せった》問屋《どんや》石見屋《いわみ》にゆうべ泥棒が入ったということは、朝のうちに見回りに来た定町回りの同心大瀬半左衛門から聞いている。

「縄張りうちに入りこまれたんじゃ、あっしもここ当分は、眠いから寝ようかというわけにはいきませんや」

島七は、さほどつめたいとも思えない汲み置きの水を、ひと息にのみ干して盆に返した。島七は竪川の南の町々を縄張りにしている岡っ引で、林町三丁目で女房《にょうぼう》に絵草紙屋をやらせている男である。

「なに、張りこみ夜回りと何でもやって、近いうちにやつをつかまえてやりますよ」

「暑いときにごくろうさんですが、頼みますよ、島七さん」

と清兵衛は言った。すると島七が、腰を上げながら言った。

「そこで、大瀬の旦那からのご伝言なんですがね。油断のならねえ盗《ぬす》っ人《と》が入りこんでいるから、戸締りを厳しくするように町知らせをたのむということでした」

「承知しました。三丁目の方は？」

「あっしがこれから回って行きます」

と言ってから、島七は立ったままで大きな声じゃ言えませんがと言った。

「石見屋さんじゃ、近ごろは夜も暑いもんだから、女中が台所の小窓をあけておいたんですな。泥棒はそこから入ったんです」

手ぬぐいを懐にねじこんで、島七が昼過ぎの眼がくらむような光の中に出て行ったあとで、清兵衛は万平と額をつき合わせた。

「大瀬さまの言う町知らせは……」

と清兵衛は言った。

「喜左衛門さんと相談してから出すのがいいかも知れませんね」

「その方が無難でしょう」

「触れを回すのは表店《おもてだな》だけでいいかな」

清兵衛は首をかしげた。

「ウチあたりの裏店じゃ、泥棒が入っても持って行く物はないでしょうから」

「ま、そういうことですが、そのへんのことも喜左衛門さんは何と言いますかね」

万平が言い、二人が顔を見あわせてにが笑いしたときに、お茶をいれましたと言って善六が二人の前にお茶をはこんで来た。清兵衛と万平は、しばらく無言で熱い茶をすった。

「話は変りますが……」

茶碗《ちゃわん》を盆にもどした万平が言った。

「櫛挽《くしひ》きの重助の女房がもどったそうですよ」

「ほほう、いつですか？」

「四、五日前です。男に捨てられて病気になってもどって来たと言うんですがね」

「やれやれ」

と清兵衛は言った。

「よく重助ががまんして家にいれましたな」

「それが話によると、病気になった女房を見かねて、重助が迎えに行って連れもどったとかで……」

「いやはや、ひとがいいにもほどがある」

「まったくです。格別べっぴんの女房ならともかく、あのおかめづらの、それも若い男と逃げた女房のどこに未練があってと言いたくなりますなあ」

「重助は男前で、仕事の腕もよければ人柄《ひとがら》もよい。それがおはつのような女子《おなご》しか女房にもらえなかったというのが、そもそも人間の不思議です」

二人はさんざんに重助夫婦の悪口を言ったが、最後に清兵衛が、手の中の茶碗を盆にもどして万平を見た。

「それで、おはつは今度は落ちつきますかな」

「さてどんなものでしょう。女子の気持はわかりませんからなあ」

万平はしかつめらしく言った。

五

父親の姿は見えなかったが、戸はあけっぱなしでやりかけの仕事が散らばっている。奥にいるんだ、と長太は思った。

だが、そう思いながら家の中に駆けこんで行かなかったのは、家の中に不自然な沈黙が立ちこめているのに気づいたからだった。茶の間の障子もあいていた。しかし暑いので窓をしめたのか、茶の間の奥はうす暗くてよく見えなかった。足をそろえて土間に立ちながら、長太はようやく、おっかあも一緒にいるんだと不思議な沈黙のわけを理解した。

外にひき返そうと、しのび足に身体を回したとき母親の声がした。

「ねえ、いいでしょ」

と言った母親の声は、いま目ざめたばかりのように眠たげで、その上長太の背筋が嫌悪《けんお》感でざわついたほど、甘ったるいひびきを含んでいた。

「ねえったら……」

「だめだ」

ようやく父親の声がしたが、その声も眠たげだった。

「おまえが稼《かせ》がなくとも……」

父親はあくびをしている。

「親子三人、ちゃんと喰《く》って行けらあ」

「でも、それじゃいつまでたっても裏店住まいじゃないか」

「りっぱな口をきくんじゃねえ」

と言ったが、父親はそこでまただらしなくあくびをした。

「おめえが稼いだ金なんぞ、おめえがぜいたくをしただけでちっとも残らなかったじゃねえか。とどのつまりは駆け落ちさわぎだ。はずかしくて世間さまに顔もむけられねえや」

「それなんだよ、おまえさん」

と母親が言った。

「あたしゃおまえさんに迎えに来てもらって、病気も直してもらってほんとにありがたいと思っているけど、ここのひとたちに、毎日じろじろ眺《なが》められてるのがたまらないんだよ。あたしゃ気が狂っちまうよ」

「……………」

「梅《うめ》の家《や》じゃ、あたしを気に入ってくれて、身体《からだ》が元気になったらいつでももどっておいでって言ってるんだから」

「……………」

「今度こそよくわかった。あたしゃああいう店で働くのが性に合ってんだよ。ぜにかねじゃなくて、気分がはればれとして来るもんね」

「水商売が身体にしみつきやがったんだ。おめえを外に働きに出したのが間違いだった」

「家のこともちゃんとやるよ。ご飯もつくるし、洗い物だってするからさ」

「そんなこと出来るわけがねえだろ」

「どうして？　そりゃ商売が商売だから泊りが多くなるけど、出かける前にご飯の支度はするし、早番のときは夕方までにちゃんと帰って来るんだから、出来ないことはないよ」

「……」

「ねえ、いいでしょ」

母親はまた年甲斐《としがい》もない鼻声を出した。どたりと重い物音がしたのは、寝ころんでいる父親に身体をぶっつけるかどうかしたらしい。

長太は足音をしのばせて、土間から外に出た。そうか、おっかあはまたあの居酒屋にもどるのかと思った。その方がいいかも知れねえや、病気が直っても、毎日あんな暗い顔をして、ろくに物も言わずに家に閉じこもってんじゃしょうがねえもんな。

長太は表通りに出た。日はしぐれ町の表通りの真上にあって、二丁目の大きな店は一斉《いっせい》に日よけののれんを表に出していた。人通りは少なかった。長太は新吉の家の前を通り、つぎにおいとの家の前を通りすぎた。もう十日近くもおいとに会っていなかったので、通りすぎるときちらと油屋を見たが、おいとの家でも大きな日よけののれんを道に出していて、店の中はうす暗くて何も見えなかった。

不動さまの境内に入ると、新吉がいた。すぐに長太を見つけて手を振ったので、長太はそばに行った。

「かぶと虫、さがす？」

「うん」

と言ったが、長太はあまり気がすすまなかった。鬼ごっこをしたり、地面にござを敷いてままごとをしたりして遊んでいる子供たちの中から、さりげなくおいとをさがした。もしおいとがいたら、母親がまた働きに出ることを話してやろうと思ったのだが、おいとの姿は見えなかった。

甲高い声で笑ったり、口汚くののしったりする子供たちの騒々しい声をあおり立てるように、境内のあちこちで油蟬《あぶらぜみ》が鳴いていた。不意に新吉が言った。

「どうしたの？　おいとちゃんなら来てないよ」

「……」

長太は赤くなって新吉を見た。新吉は赤くなった長太を、少し意地のわるい眼《め》つきで見ながらにやにや笑っていたが、すぐにその笑いをひっこめた。

「おいとちゃんはいま、芝の叔母さんの家に行ってるんだ」

「……」

どうして新ちゃんはそんなことを知ってるんだろうと思って、長太の胸は嫉妬《しっと》でふくれ上がったが、新吉のつぎの言葉でやきもちどころではなくなった。

「おいとちゃんは、叔母さんの家の子供になるかも知れないんだって。しぐれ町の子供じゃなくなるんだよ」

「ほんと？」

長太は一度は赤くなった顔が、今度は青ざめるのを感じながら言った。

「新ちゃん、それを誰に聞いたの？」

「安心しなよ。おいとちゃんじゃなくて家のひとから聞いたんだ」

六

「よう、ぼうず」

と、痩《や》せた若い男が言った。男は顔にうす笑いをうかべて長太を見ている。

「おめえが帰って来るのを待ってたんだよ。おめえ、名前何て言ったっけ？　長吉か？」

「……………」

長太は男をにらみつけた。眼の前にいる若い男が、母親をだまして姿をくらました男である。母親が前に働いていた初音《はつね》屋という森下町の茶漬《ちゃづ》け屋で、何度か会って名前も知っている。市次郎という男だ。

「そんなにおっかねえ眼でにらむなって」

市次郎はへらへら笑うと、長太の前にしゃがんだ。さかやきがのびて、眼つきの鋭い市次郎は、子供ごころにもまともに暮らしている人間とは思えない。

「いま、おめえの家に行って来たんだ」

と市次郎は言って、そこから見える木戸の方を振りむいた。

「おやじさんは、遠出して夜おそくならねえと帰らねえそうだな。だめだぞ、おい。それをいいことにこんなにおそくまで遊んでちゃ」

「………」

長太はぞっとした。裏店のひとたちは、この人相のよくない若い男が、おっかあの駆け落ちの相手だと気づかなかっただろうかと思ったのだ。

「だがおれが用があるのは、おやじさんじゃねえ。おやじさんはおそく帰ろうと早く帰ろうと関係ねえ。用があるのは、おめえのおっかさんさ」

「………」

「おっかさん、いまどっかに働きに出てるそうだな。どこへ行ってんだい、おしえてくんねえか」

「いやだよ」

「またまた、そんな眼で見る」

市次郎はへらへら笑うと懐から巾着《きんちゃく》を取り出し、一文銭を十枚つかみ出した。

「おめえ、何か勘違いしてるな。おれはおっかさんにわたしたい物があってたずねて来ただけだぜ。その証拠に、みなよ、こうして堂々と家までたずねて来てるじゃねえか」

「じゃ、おいらがもらっとくよ」

「だめだめ」

市次郎は手を振った。

「大事なものだ。ちゃんと本人に会った上でわたさねえと、あとで面倒が起きる」

「ほんと？」

「ほんとだとも。おれはほめられることをしに来たんだぜ。さあ、おっかさんの居場所を言ってくれ。おしえてくれたら、この十文をやろうじゃないか」

その夜、長太は父親に言われたとおりに、自分で飯を炊《た》き、漬け物で夜食をたべた。その間、十文をもらって市次郎に母親の働き先をおしえてしまったことが、ずっと胸に痼《しこ》ったままだったが、その気の重さは、もう半刻《はんとき》（一時間）もすれば父親が帰って来るだろうと思われるころになって、頂点に達した。

灯《ひ》を消して戸をしめると、長太は夜の町に走り出た。表通りに出たが、もう町の灯はあらかた消えて通行人の姿は見えなかった。走り出すと同時に、明瞭《めいりょう》にわかって来たことがある。十文で、市次郎にだまされたということだった。あのやくざ者が、いい話でおっかあをたずねて来るはずがないのだ。そんなことはわかりきってることじゃないか。

——ちきしょう、ちきしょう。

長太は自分を罵《ののし》りながら、暗い町を駆けた。はやくおっかあに会わないと、大変なことになるぞという一念だけが頭の中に燃えさかって、息苦しさも暗い町のこわさも忘れていた。喘《あえ》ぎながら、長太は走りつづけた。

眼の前に、どさりと黒く大きい物が落ちて来たのは、不動さまの先の伏見屋という酒屋の前まで来たときだった。長太はぎょっとして立ちどまった。そして、すぐに物が落ちたのではなく伏見屋の庇《ひさし》からひとがとび降りたのだとわかった。

とび降りた人間も、おどろいたように長太を見た。その人間には眼も鼻もなかった。全身真黒だった。二人はちょっとの間にらみ合った。だがすぐに伏見屋の家の中に灯がともり、ひとがさわぐ声が聞こえて来た。すると男の姿がふっと消えた。恐怖が長太をわしづかみにつかんだ。長太はその場所に背をむけると、来た道を夢中で走りもどった。

長太はうなだれて東両国の梅の家を出た。母親は身の回りの品をまとめて、今朝梅の家を出て行ったという。ゆうべおはつに会いに来た若い男が、今朝も迎えに来ていたよと、梅の家の主人は言った。心配したとおりのことが起きたのである。長太は朝早く梅の家に来たかったのだが、何も知らない父親に仕事を手伝わされて、家を出られなかったのだ。

暑い日に照らされて町にもどると、おいとの家の前に駕籠《かご》が二梃《ちょう》とまっているのが見えた。立ちどまって見ていると、やがて家の中から年配の女とおいとが出て来た。おいとは飾りのついた簪《かんざし》をつけ、手に水色の袋をさげ赤い鼻緒の下駄《げた》をはいていた。少し大人びたような澄ました顔をして、気づかないのか長太を見なかった。そのまま、駕籠に入った。知らない町の子のように見えた。

見送りに出たひとたちが家の中にもどり、おいとの駕籠も小さくなって林町の方角に消えると、しぐれ町の表通りは人っこ一人いなくなった。熱く乾いた日射《ひざ》しが無人の町を照らしつづけ、長太はその空虚な光景が自分の胸の中まで入りこんで来るのを感じながら、まだ道に立っていた。

秋

一

眼《め》をさました政右衛門《まさえもん》は、いつもとは部屋の様子がちがうのに気づいた。がらんとしている。そのわけはすぐにわかって、見てたしかめるまでもなかったが、やはり顔をかたむけて横を見た。女房《にょうぼう》のおたかがいなかった。むろん夜具もなかった。怒って、一度は敷いた夜具を押入れにほうり上げたおたかが部屋を出て行き、そのままなのだ。政右衛門は枕《まくら》の上で顔をもどした。おたかはどこまで行ったわけでもなく、多分娘のおやえの部屋で寝ているはずである。しかし仰むけに寝てほの暗い天井を見上げていると、睡気《ねむけ》はきっぱりと消えて、政右衛門は物がなしい喪失感のようなものが胸にしのびこんで来るのを感じた。にがい気分ももどって来た。政右衛門は昨夜のおたかとの口喧嘩《くちげんか》を思い返した。

たわいもない喧嘩だった。二人の床《とこ》をとりながら、おたかがこのごろ政右衛門のいびきがうるさいと言い出したのがはじまりである。いびきが大きくて、夜中に眼がさめるとも言った。いつもなら笑って聞き流しただろう。そのたぐいの愚痴は、片方が黙って聞いてやれば言った方もそれで気が済んで、いつの間にか言ったことさえ忘れてしまうのである。

だが昨夜の政右衛門は、昼の間の商いのせいで虫の居どころがわるかった。疲れてもいた。そのせいで、あるいはおたかの言い方もいつもよりしつこかったかも知れないが、とにかく政右衛門はいきなり言い返した。

「おまえのいびきだってうるさいよ」

それは事実である。おたかがときどきいびきをかくようになってから一年ほどにはなるだろう。政右衛門は、それこそ夜中におたかのいびきで眼がさめることがあったが、そのことを口に出したのははじめてである。

疲れると、おたかはいびきをかくようだった。だが、高いいびきにはおたかの老いがあらわれてもいた。政右衛門がいままで言わなかったのは、やはりそこを思いやったからである。おたかは四十六だが、言えばやはり老いをさとって気にするだろうと思ったのだ。

はたして、おたかは顔色を変えた。語気するどく言った。

「あたしは、いびきなんかかきませんよ」

「何を言ってるんだ。自分のいびきは自分じゃわからないよ」

それからはらちもない言い合いになった。あたしはいびきなんかかいたおぼえはないと、おたかは頑《かたく》なに言い張った。おまえさんはいびきもかくし、食事のときにご飯もこぼしてすっかり年寄りくさくなったがあたしはまだ年寄りじゃない、一緒にされちゃ困りますとも言った。

口論はやがていびきをはなれて、おたがいの欠点をつつき合うようなものになったが、こういう言い合いになると、おたかはたとえ自分に非があろうとも絶対に譲らない女だった。あげくのはてには、せっかく敷いた自分の夜具まで押入れにもどして、足音荒く部屋を出て行ったのである。

――くだらない喧嘩をした。

と政右衛門は思った。しかし昨夜の喧嘩にはそれだけで済まないものがあったような気もちらりとしたが、政右衛門は考えるのはそこまでにして起き上がった。政右衛門は、一度眼がさめると寝ていられないたちだった。

夜は明け切ったわけではなく、家の中はほの暗かった。家の者も二階の奉公人もまだ眠っている気配だったが、台所に行くと下女のおとらが飯を炊《た》いていた。

「おはようございます、旦那《だんな》さま」

おとらは男顔負けの太いがらがら声で挨拶《あいさつ》した。おとらは声も器量もわるい娘だが、骨惜しみせずに働き、陽気なたちだった。

「おはやいお目ざめで。また、町内まわりですか」

「うん、行って来るよ」

と政右衛門は言った。

数年前に、政右衛門は腰を痛めたり、胃ノ腑《ふ》をこわしたり、夜眠れなかったりといったさまざまな身体《からだ》の不調に悩んだことがある。医者に行くと、政右衛門をよく知っている医者は、薬をくれてから近ごろ腹が出て来たでしょうと言った。おたくは商いがすっかり落ちついて、あんたも外に出ることがなくなったでしょう、あちこち痛むのはそのせいで、もっと身体を動かさなければだめですと医者に言われて、政右衛門はいちいち思いあたるところがあり、それからは朝眼がさめるとすぐにとび起きて、ぐるりと町内をひと回りするようになったのである。

もっとも、言われた当座は雨が降っていれば傘《かさ》をさしても外に出たほどだったけれども、そのせいかあるいは薬が利《き》いたかで身体のぐあいが落ちつくと、朝の外歩きは間遠になった。いまは思い出したように、季候がよく、天気もよい朝に外に出るだけである。

おとらに小桶《こおけ》に水を汲《く》んでもらって顔を洗うと、政右衛門は茶の間と店の間を通って玄関に出た。水油の匂《にお》いがした。そのあたりにはいつも、店にある売り物の水油の匂いが澱《よど》んでいる。

外に出て門の板戸を繰ろうとすると、さるで締めた上に頑丈な鉄《かね》の錠がおりていた。まだ暑かったころに、同じ町内の酒屋に泥棒《どろぼう》が入ってから、錠をおろすようになったのである。政右衛門は玄関にもどって鍵《かぎ》をさがすと、ひき返して錠をあけ、外に出た。

二

——あんな錠をつけたって……。

はたしてききめがあるものかどうか、と政右衛門は思った。恐慌《きょうこう》をきたして錠を取りつけさせたのはおたかだが、その気になれば泥棒は塀《へい》を乗り越えてでも入って来るだろう。気休めみたいなものだと政右衛門は思った。

外は家の中よりあかるかったが、日はまだのぼっていなかった。路地から表通りに出ると、道の正面に蜜柑《みかん》いろにかがやく空がひろがっていて、間もなく日がのぼるところだと知れた。蜜柑いろの空には、綿をちぎったようなうすい雲がちらばって、それぞれに金いろに光っている。

政右衛門は、空が光っている三丁目の方にむかって歩いて行った。路地の奥、家々の軒下にはまだ夜の暗さが残って、町はしんと静まり返っている。まっすぐ見通せる道には、政右衛門のほかにはひとは一人も歩いていなかった。

町の物もひとも騒然と動き出す少し前の静けさが、政右衛門は好きだった。朝はやく町を歩くようになってはじめて知ったたのしみである。静けさの中で、昼とはちがった顔をみせている左右の家々や、いくらかしめってほの白くつづいている道をながめながら、政右衛門はゆっくり歩いて行く。

二丁目から三丁目のはずれにかかる一帯は、しぐれ町の目抜き通りといった場所で、大ていの店がこのあたりにあつまっている。糸屋の梅田屋、味噌《みそ》、醬油《しょうゆ》商いの尾張《おわり》屋、小間物屋の紅屋、草履問屋の山口屋、瀬戸物商いの小倉屋、表具師の青山堂、茶問屋の備前屋と下《くだ》り塩を商う三好《みよし》屋にはさまれている煮染《にしめ》を売る小玉屋。

どの店も、昼の間とはかなり様子がちがって見えるのだが、中でも客のいない小玉屋ほど、小さくあわれに見える店もないだろう。間口六尺の店先は、どだい敷居というものがなくて、かたむいた戸板二枚を外から縄《なわ》でおさえて、店をふさいであるだけである。夕方になると、小鍋《こなべ》や皿《さら》を持ったこのあたりの女房たちが、店の前に人垣《ひとがき》をつくるほどにはやる店だとはとても思えない。

政右衛門が立ちどまって、つくづくと粗末な店構えをながめていると、戸板の裏から全身真黒な猫《ねこ》が表に出て来た。猫は政右衛門を見ると一瞬腰をおとして身構え、それから金色の瞳《ひとみ》をむけたまま咎《とが》めるように鳴いた。政右衛門はまた歩き出した。

呉服屋の相模《さがみ》屋、藍玉《あいだま》卸しの阿波《あわ》屋。相模屋は黒漆喰《しっくい》塗りの大きな店蔵《みせぐら》で、その隣にあるばっかりに、阿波屋はごくふつうの店なのにみすぼらしく見える。足袋、ももひきの看板をかかげている堀米《ほりごめ》屋、古手《ふるて》屋の常陸《ひたち》屋。常陸屋とむかい合う路地の奥には、女祈禱師《きとうし》のおつなが住んでいる。

堀米屋は間口二間半で、あまり大きくはないがいつも小ぎれいにしている店である。主人の清兵衛は、古手屋の先の路地を左に曲ったところにある裏店《うらだな》を差配する大家《おおや》で、そのために毎日、朝に夕に一丁目にある自身番に通うのを、政右衛門は店の中から見ている。

ごくろうなことだと思うが、一方で堀米屋の息子にはもう嫁がいて、父親はだしの商いで店を切りまわしていることも聞いていた。それだから清兵衛も、隠居仕事のような町役人勤めに精出すことが出来るわけである。堀米屋清兵衛は政右衛門よりたしか五つ、六つ年下のはずだから、ずいぶんはやく子供を持ったのだろうと、自分で店を持ったのだから当然とはいえ、身を固めるのも子を持つのもおそかった政右衛門はうらやましくなる。

　水油の仲買いをしていた政右衛門が思い切って小売りに転じ、生まれた町であるしぐれ町一丁目にもどって小さな店を借りたのは三十のときである。油桶をかついで行商に出たり、注文を取って油をとどけたりする小さな商いだったが、翌年には世話するひとがいておたかと一緒になり、二年後には長男の直吉が生まれた。

　その直吉はまだ、神田の十軒店にある水油問屋若狭《わかさ》屋に奉公している。年季が明けて家にもどって来るのは一年半ほど後になる。子供は三人生まれたが、いちばん下のおいとはどうやら芝の田川町に住むおたかの妹にくれてやることになるらしく、いま家にいるのは中の娘のおやえ一人である。

　――おいと……。

　叔母の家でちやほやと大事にもてなされるのが気に入ったのか、もらい子になる気持を固めたらしい末の娘のことを考えると、政右衛門の胸に、外に出てから忘れていたにがい気分がもどって来た。そのことで、おたかとはげしくあらそったことを思い出したのである。

　おたかの妹の家はわるい家ではなかった。家業は畳表問屋で、商いは繁昌《はんじょう》している。

おたかの妹も亭主《ていしゅ》の保之助も、人柄《ひとがら》がおだやかで世間的な常識にも欠けるところのない大人たちだった。その申し分ない家に、子供だけがめぐまれないことを、政右衛門はつねづね聞いて気の毒に思っていた。

だが義理の妹夫婦がかわいそうだからと、まだ小さい自分の子供をくれてやるつもりはまったくなかったのだ。子供を持つのがおそかったせいか、政右衛門は子供に対する愛着が深いほうだった。ことにおいとは四十を過ぎてから生まれた子供だけに、政右衛門には自分が元気でいる間にこの子を嫁にやれるだろうかという思いがある。猫かわいがりにかわいがっていた。

そういう気持が、おたかにはまったくわからないらしかった。どうせ齢《とし》ごろになれば嫁にやるんだからとか、むこうは金持ちの商人なんだからとか、すっかり妹の口車にのせられた言い方しかしなかった。まだ承服したわけではないが、女たちの強引な根まわしにはかなわず、とどのつまりはおいとを手ばなすことになるのだろうか。

――それにしても……。

近ごろはどうしてこうも、おたかと衝突することが多いのかと政右衛門は思っている。はじめは二人とも年取って気持に辛抱がなくなり、おたがいに言いたいことを言いはじめたせいかと思ったりもしたが、頻繁《ひんぱん》な衝突にはそれだけで片づかないものがひそんでいる気もちらちらとするのだった。

おいとの養子話では、政右衛門はおたかとの考え方のちがいを思い知らされたが、そんな深刻な話でなくとも、昨夜のようにささいなことが近ごろははげしい口論の種になるのである。

——ひょっとしたら……。

政右衛門は、今朝も寝床の中でちらと頭にうかんだことを、おそるおそる胸の中にひっぱり出してみる。

ひょっとしたらおたかとは、はじめから一緒に暮らすには無理なほどに、考え方も物の感じ方もちがっていたのではなかろうか。そしていままでは、ただそれに気づかずにここまで来たということではないだろうか。

それはがっくりと気落ちするような、先ざきのことを考えればそら恐ろしくもなる考えだったが、あり得ないことではなかった。三十六のときに、政右衛門は一丁目から二丁目のいまの場所に商いを移した。平戸屋という蠟燭《ろうそく》問屋が店を仕舞ったあとを買い取ったのである。二丁目の店に移る前も移ったあとも、政右衛門には家をかえりみるひまはなかった。商いをひろげ、店を買ったときにした借金を返すために、身を粉《こ》にして働いたのである。

家の中に眼がむくようになったのは、ほんの数年前、帳場に坐《すわ》って奉公人を動かせばいいようになってからである。ありえないことではない。おたかとの口論がふえたのは、そのころからではなかったろうか。

日がのぼり、鋭い光が政右衛門を照らした。政右衛門は立ちどまった。そこは二丁目のはずれ、三丁目との境界の手前だった。袋物屋の小針屋、桶職人の桶芳《おけよし》、竹皮問屋の山城屋、真綿商いの鹿浜屋、米屋の丸子屋、指物師の藤次郎《とうじろう》、唐物《とうぶつ》屋の掃部《かもん》屋、畳刺しの岩田屋、洗い張りの結城《ゆうき》屋。三丁目に近くなると、町の左右には職人の店が目立って来る。

立ちどまったまま、政右衛門は行きどころを失ったようにぼんやりと町をながめた。さっきまであった小さな気持のはずみは、すでに消えている。三丁目の通りの中ほどに、突然に早出の職人らしい男が姿を現わしたのをしおに、政右衛門はのぼってももう暑くはない日に背をむけて、来た道をもどった。

三

商用で外に出た番頭がまだもどっていなかったが、政右衛門は店の後始末を終った小僧たちを、行って飯を喰《く》うようにと台所に追いやった。そして帳場に入って一人で帳付けをしていると、潜《くぐ》り戸《ど》から店に入って来た者がいる。番頭ではなく十ぐらいの女の子だった。

「いらっしゃい」

政右衛門は帳場から板の間に出て行った。女の子はおきちという名前で、政右衛門の店のむかいの路地を入ったところにある裏店の子供である。

「油かね」

「はい」

「種油だね」

「はい、これだけください」

おきちははじらうような大人びた微笑をうかべて、手のひらをひろげた。糸でつないだ穴明き銭をのせた手が、行燈《あんどん》の光に汗ばんでいるように見えた。

「いいよ」

政右衛門は金を受け取って数えた。三十四文あった。きっちり種油一合分である。政右衛門は手をのばして、おきちがかかえて来た古びた一升徳利も受け取った。それで、おきちの父親がのんだくれの日雇いであること、母親が二年前に死んでおきちが弟妹のめんどうをみているらしい、などという世の中のうわさ話を思い出した。

政右衛門は一升徳利にじょうごをあてがい、油甕《あぶらがめ》の蓋《ふた》を取りながら、ちらちらとおきちの顔を見た。誰《だれ》かに似ている、と思っていた。はじめは齢ごろ、ほっそりした身体つきなどから、おいとに似ているのかな、と思ったがちがった。

もっと似ている誰かがいる。瘦《や》せたおとがい、細い眼《め》。さびしそうな中に、きりっとした気の強さを感じさせる顔だちと、ほつれている粗末な髪の加減は、はて、誰だったろう。

「赤ん坊は元気かね」

「………」

「赤ん坊がいるんじゃなかったかね」

「いま、病気です」

わるいことを聞いた、と政右衛門は思った。徳利に半分ほどの油をはかり入れて渡した。

「さあ、落とさないようにな」

「旦那さん」

「いいんだ、おまけだよ」

「でも困ります。旦那さん」

「いいんだって。また、おいで」

おきちは一瞬、泣き出しそうに顔をゆがめた。そしてふかぶかと頭をさげると、いそいで潜り戸から外の闇《やみ》に出て行った。

「そうか」

政右衛門はひとりごとを言った。帳場にもどりながら大きく合点《がてん》した。おきちのさっきの表情で、誰に似ているかがわかったのである。

——子供のころのおふさだ。

帳場にもどると、政右衛門は手をやすめて物思いに沈んだ。

おふさは一丁目の裏店で一緒にあそんでそだった幼ななじみで、若いころの政右衛門がぜひとも夫婦になりたいと思いつめた女である。だがそう思っただけで二人はそれぞれちがった道を歩き、所帯を持ったあとは二十年、ふっつりと会うこともなく過ぎた。

だが政右衛門はおふさのその後の消息を知っていたし、会おうと思えばその手段もあることがわかっていた。

——ひさしぶりに……。

おふさに会ってみようか。その思いつきにとりつかれて、政右衛門は番頭の徳平がもどって来たのにも気づかなかった。

四

上げ床の一番奥の席にいた十人近い人数の男たちが出て行くと、茶漬《ちゃづ》け屋「福助」はいっぺんに静かになった。残っている客は政右衛門と、土間の飯台でおそい飯を喰っている職人の二人だけである。

時刻はそろそろ五ツ半（午後九時）に近く、「福助」が店を閉めるまで、あと半刻《はんとき》ほどしか残っていないだろう。

「ごめんなさいね、ほったらかしにして」

声をかけながら、おかみのおりきがいそぎ足に寄って来た。

「急にどやどやと来ちゃったものだから」

おりきは帰ったばかりの男たちのことを言い、職業的な手つきで政右衛門の前にある銚子《ちょうし》をつかむと振った。

「あら、からっぽじゃないですか。どうします？　もう一本つけましょうか」

「しかし、おそいんじゃないのか」

「まだ大丈夫ですよ」

「そんなら、一本だけもらおうかね」

　と政右衛門は言った。

　このあとおりきに話があるのだから、もう飲まないほうがいいかなと思ったが、今夜はほどよく燗《かん》のついた酒が恋しいような夜でもあった。大勢が出て行ったあとの店の中はしんとして、料理場の皿がふれ合う音や、料理人と酌取《しゃくと》りの小女《こおんな》たちが話している声などがはっきりと聞こえる。秋が深まって来たのである。

　注文を通して向き直ったおりきに、政右衛門が言った。

「さっきのひとたちは何だろうね」

「話の様子じゃ、講の帰りみたいでしたよ」

　とおりきが言った。

「どっかで講のあつまりがあって、その分れがウチに寄ったんじゃないですか。もうかなりお酒が入ってて、ここじゃあまり飲みませんでしたものね」

　おりきの説明で、みたところはいずれも小商人《こあきんど》ふうで、異様なほどに陽気だったさっきの男たちの正体が、大体腑《ふ》に落ちたようである。政右衛門がうなずくと、おりきが不意に笑顔を向けて来た。

「ところで佐野屋さん。お話というのは何ですか」

「それだよ、おりきさん」

　と政右衛門は言った。

「そこに立っていられちゃ話しにくいもんでね。ちょっと座敷に上がってくれないか」

　政右衛門がそう言っているところに、小女が銚子をはこんで来たので、おりきは銚子を受け取って畳に上がった。おりきは政右衛門に向かい合って坐ると、もう一度にっこり笑って酌をした。

「や、ありがとう」

　政右衛門はつがれた酒をひと息に飲み干すと、盃《さかずき》をおりきにわたしてお酌を返した。

「じつはあんたに、折入って頼みがあってね」

「……………」

「と言っても、あまり改まられるとこまります。気楽に聞いてもらいたいのだが……。そうそ、だめならだめでいいんだ」

　長い間、おふさのことならおりきに頼めば何とかなるだろうと思って来たが、いざそのときが来てみると、その頼みというものがひとかたならず切り出しにくいものであるのに政右衛門は閉口している。

いい齢をしてむかしの恋人に会いたいなんてと、あざ笑われるのがこわかった。おりきは気のつよい女だから、頼みを蹴《け》ったうえに、齢を考えなさいな佐野屋さんぐらいのことは言いかねない。あげくに飲みに来る町内の者に、佐野屋がこうだったと内緒の頼みごとをばらされでもしたら、以後は町内を顔を上げて歩けなくなるだろう。

——いや、待て。

おりきはそういう女じゃない、と政右衛門はまた思い返している。おりきは男気《おとこぎ》もあれば、人情の何たるかも心得ている女だ。日ごろのつき合いでそういうことがわかっているからこそ、おふさのことでもひそかにあてにしていたのである。ことをわけて話せば、納得して会わせてくれるのではないか。かりにそれは出来ませんとことわられても、そのときはそのとき、いっとき恥をかけばいいことだ。ひとに告げられる心配まですることはない。

——それに、どっちみち……。

つがれた酒を口にふくみながら、政右衛門は思った。おりきのほかに頼る人間はいないのだから、おふさに会いたかったら話すしかないのだ。政右衛門は盃をおいた。

「ずいぶんむかしに……」

政右衛門は咳《せき》ばらいをした。

「ここであんたと、おふささんのうわさ話をしたことがあったけれども……」

「ええ」

「あんたはいまもあのひととつき合いがあるのかね」

おふさの名前を口にしたあとは、気持が急に楽になって、政右衛門は顔を上げておりきを見た。おりきはあごをひくようにして政右衛門を見ていた。眼にかすかな笑いがうかんでいる。

「しょっちゅうというわけじゃありませんけど、神田に行ったときは寄ってお茶を飲んで来たりしてますよ」

「元気かね、あのひとは」

「ええ、元気ですよ。四十を過ぎてからまた若返ったみたいで、いまじゃあたしより年下のように見えます」

「まさか」

と政右衛門は言ったが、四十を過ぎたおふさのどんな姿も眼にうかんで来るわけではなかった。政右衛門の記憶にあるのは、二十《はたち》前後のおふさの顔と姿だけである。おふさは、おりきより二つ三つ年上のはずだった。

「あんたはいまいくつだっけ」

「あら、女に齢《とし》を聞くんですか」

おりきは軽く政右衛門をにらんだ。なかなかどうして、色気のある眼である。

「四十三ですよ。お正月が来ると四十四。いやですねえ」

「すると、おふささんは四十五か。いや、六かな」

「六ですよ。でも、そんなには見えませんよ、ほんとに」

「……」

「旦那《だんな》さんを亡《な》くして、そのあとずっと一人でしょ。若いのはそのせいじゃないかしらね。あたしのように遊び人を亭主《ていしゅ》に持つと、苦労ばかり多くて……」

そうか、あのひとはやはりあれからずっと一人で来たんだなと政右衛門は思った。

二十を過ぎたころ、おふさは住みこみの下女をしていた神田鍋町の紙問屋の嫁になった。若旦那に見初められたのである。大黒屋というその紙問屋は小さからぬ店だったから、おふさは玉の輿《こし》に乗ったのであった。しかし十五年ほどたって、おふさは夫と死にわかれ、政右衛門とおりきは、そのときにおふさのうわさ話をしたのである。

「ところで、今夜の頼みごとなんだが……」

おりきの愚痴まじりのおしゃべりがとぎれるのを待って、政右衛門は思い切って言った。

「あんたの力で、一度おふささんに会わせてもらえないだろうかね」

「ここでですか」

「いや、ここはやっぱり町内の者の眼があるからまずいだろう。いくら年寄り同士と言っても、むかしがむかしだからやはり変に思うひともいるだろうし、あたしはともかくあのひとに迷惑はかけられない。世間体というものは、やはり大切にしないとね」

「……」

「場所は、東両国あたりにでもしましょうか」

「いい、しんねこというわけですね」

「いやいや、変にとってもらってはこまりますよ、おりきさん」

政右衛門は言いわけした。

「会って、それからどうこうという生ぐさい話は一切なし。第一そんな元気があるもんですか。ただ、年を取ると妙なものでね。ひょいとむかし知ってたひとに会いたくなったりするんですな。それもいったん思い立つと、無性に会いたくなる」

「……」

「なに、少しばかりむかしばなしをして、あんたも元気でおやんなさいと言いたいだけなんだがね。それでむかしの事情を知っているおりきさんに頼もうかと思ったわけだが、もちろん無理にもということじゃない。むこうが会いたくないと言えばそれまでです」

「……」

眼を伏せて考えこんでいるおりきから、政右衛門は店の中に視線をまわした。飯を喰っていた職人はいつの間にかいなくなり、料理場の前で、ひまをもてあました小女たちが忍び笑いの声を立てている。

「一度だけ、丸髷《まるまげ》すがたのおふささんを見たことがある」

と政右衛門は言った。

「いまの女房《にょうぼう》と所帯を持つちょっと前のことです。わざわざ見に行ったんですな、あのころは若かった。それから二十年、あのひととは一度も会っていません」

「……」

「どうでしょう。骨折ってもらえませんか」

「わかりました」

とおりきが言った。おりきは顔を上げるとどことなく謎《なぞ》めいた笑顔を見せ、銚子を取り上げて政右衛門に酒をついだ。

「大丈夫、おふささんだって話せばきっと会いたがると思いますよ」

「それはどうだかね」

「段取りをつけて上げますから、あたしにまかせなさいな」

「すまないね」

「いいんですよ。あたし、佐野屋さんを信用してますから」

と、おりきが言った。政右衛門は盃をとめておりきの顔を見た。おふさに会える見込みが出て来てはずみかけた気分に、水を差されたような気がした。

五

——ずいぶん、手間どるものだね。

政右衛門は帳場の中で筆をとめると、ぼんやりとそう思った。段取りがついたら使いをやりますからとおりきに言われ、二、三日は落ちつかない気持で吉報を待ったのだが、今日も何の音沙汰《おとさた》もないままに、おりきに会ってから十日目の日が暮れるところである。

おりきだって商売があるのだからと、はじめは政右衛門もつとめて自分をおさえていたが、十日もたつとさすがに気持のはずみどころではなく、焦《あせ》りが出て来た。いまは、やっぱり無理な頼みだったかも知れないと思うところまで気持が落ちこんで来ている。しかしそうなると、おふさに会いたい思いは逆につのるようでもあった。会いたいのはただの好奇心からでも、浮わついた気持からでもなかった。政右衛門は、おふさに会ったらいまとはべつの、もうひとつの自分の人生が見えて来はしないかと思っているのである。

――今夜あたり……。

「福助」に行くのは催促がましくてまずいかな、と考えこんでいると、突然に店の中でどなった者がいる。

「おまえじゃないよ、旦那に用があるんだ。旦那を出しな」

とうす暗い土間に立った男が言っている。政右衛門は顔を上げた。男に見おぼえはなく、またひとに苦情を持ちこまれるような心あたりもなかったが、政右衛門は立ち上がるといそいで帳場を出た。

「あたしが主《あるじ》の政右衛門ですが、何かウチの店に粗相でもございましたか」

「おまえさんが旦那かい」

男はどなられて茫然《ぼうぜん》と板の間に突っ立っている小僧の前から、政右衛門のほうにゆらゆらと歩いて来た。近づくと、男の身体《からだ》からすさまじい酒の香が押しよせて来た。

日が沈んだばかりというのに、もう酔っているのだとわかった。

「わっちはね、そこの……」

男は表のほうにぐいと首を振り、自分のその動作でよろめいている。

「そこの宗次郎店《だな》のもんだよ。熊平《くまへい》というんだ」

「はい、宗次郎店の熊平さん？」

「ウチの娘が、こないだ油買いに来ただろう？」

「ああ」

政右衛門は突然に男の素姓に思いあたった。蓬《よもぎ》のような頭と瘦《や》せた髭《ひげ》づら、大きな継ぎがあたっている股引《ももひき》きと汚れた短か袷《あわせ》、そして胸がわるくなるような酒の匂《にお》い。

「あんたがおきっちゃんのおとっつぁんですか。毎度ごひいきに」

「毎度ごひいきじゃねえんだよ」

と酔っている男は言った。

「おまえさん、娘が一合の種油買いに来たのに五合《ごんごう》はかってくれたというじゃないか」

「それが何か……」

「そういうことをされちゃ、迷惑なんだよ」

「どうぞ、お静かに。そんなにわめかなくとも聞こえます」

と政右衛門は言った。

「わかりました。なるほど、そうですか」

「そうとも」

とおきちの父親は言った。

「わっちはね、子供にはひとの物を盗むな、ひとからめぐみを受けるなって言ってるんだ。貧乏はしてるが乞食《こじき》じゃねえや。油がなきゃ、起きてねえで寝ればいいんだよ」

「ごもっともです」

「今度よけいな情けをくれやがったら、承知しねえよ。子供のためにならねえんだ」

「わかりました。相済みませんでしたね」

政右衛門は履物《はきもの》をつっかけて土間に降りると、男の身体を回して出口の方に押して行った。べつに腹は立たなかった。酔っぱらっているが熊平の言い分には道理がふくまれていると思っていた。

「これに懲《こ》りずに、また油を買ってくださいよ」

言うことを言っておとなしく外に出たおきちの父親の背に、政右衛門が声をかけていると、たそがれて来た道をまっすぐ政右衛門に近づいて来た女が、前に立って頭をさげた。おみよという「福助」の酌取り女だった。

「おかみさんが、今夜店に来てもらいたいそうです」

とおみよが言った。

六

「いま考えるとおかしなものなんだが……」

盃を置いて、政右衛門は言った。

「身を固める前に一度はあんたを見たいものだと思ってね。その日は前を通りながら思い切って店の中をのぞくと、丸髷を結って赤ん坊を抱いたあんたがいたんだ」

「あら、まあ」

おふさは手を口にあててくすくす笑った。

「それはいつのことですか」

「あたしが三十のときだよ」

それで決心がついて、翌年には所帯を持つことにしたのだという思い入れをこめて政右衛門はしゃべっているのだが、おふさにはその気持は通じないらしかった。

「それじゃ、あたしが抱いていたのは二番目の房次郎ですよ。嫁になるとすぐに、年子で子供が出来ましたからね」

おふさは残酷なことを平気で口にし、ついでにからかうような眼《め》をむけて来た。

「でも、店をのぞいてるところをウチの旦那に見つからなくてよかったじゃないですか」

「ああ」

政右衛門はにが笑いした。話がまた喰《く》い違っているな、と思っていた。おふさと会い、酒をのみ肴《さかな》も喰《た》べて一刻《いっとき》(二時間)近い刻を一緒に過ごしているのに、二人の間にある距離はちぢまるどころか、ひろがる一方のような気がしている。

政右衛門は顔を上げておふさを見た。むかしのおもかげを残す、おりきの言ったとおり若々しい顔で、これが女房と同じ齢の女かと思うようだったが、その若さは無条件というわけにはいかない。おふさの目尻《めじり》には、無数の小皺《こじわ》が出ていた。政右衛門が預り知らない歳月とおふさの人生がそこに顔をのぞかせていた。べつの人生なんてとんでもない、と政右衛門は思った。若いころの思い出話などというものに、おふさは汁椀《しるわん》の中にえのき茸《だけ》をみたときほどの興味も示さなかったのである。

「そちらの椀は鴨《かも》ですよ」

政右衛門はおふさに料理をすすめた。

「鯉《こい》もちっともたべていませんな」

「あたし、鯉はきらいなんですよ。それにもうおなかがいっぱい。そろそろおいとましないと」

おひらきにしたいというおふさの言葉に、政右衛門はまったく同感だった。ひどく疲れていた。

駕籠《かご》を呼んでもらっておふさを見送ると、政右衛門は料理茶屋「末広」を出て竪川の河岸の道にまわった。空には月があって、時おり雲の間から水のような光を地上に投げかけるので歩くのに不自由はしなかったが、道はやはり暗かった。暗い町を虫の声がつつんでいた。

——結局は……。

おたかと喧嘩《けんか》しながらこのまま行くしかないということだ、と少し酔った足を踏みしめながら政右衛門は思った。ほかならない、それがおれの人生なのだ。そう思うとやりきれない気もしたが、どこかに気ごころの知れたほっとした思いがあるのも否《いな》めなかった。

約束

一

与吉とおけいを寝かしつけると、おきちは行燈《あんどん》の灯《ひ》を消した。そして自分もおけいのそばにそっと横になったが、眠るつもりはなく、酔って帰る父親を待とうと思っていた。

父親の熊平《くまへい》は、夜は大概酒を飲んで、足もともおぼつかなくなってもどって来る。そのときにおきちが眠っていたために、土間まで入りこんだ熊平が、そこで酔いつぶれて朝になったこともあり、暗い部屋に入って来てあやうくおけいを踏みつぶしそうになったこともある。

おっかさんが生きているときは、あんなじゃなかったとおきちは暗い気持になる。たよりにするのは父親だけだというのに、酔った父親はすることも言うこともいかにもとりとめがなくなり、時には十のおきちを頼るような気配をみせることすらあるのだ。おっかさんがいなくなってさびしいのはわかるが、三人の子供がいるのだから父親は父親らしくしゃきっとしてもらいたいとおきちは思う。

闇《やみ》の中に、窓の障子だけがぼんやりと白くうかんでいる。月夜ではないはずだが、外の方が家の中より明るいらしいとおきちは思った。その白い窓を見ているうちに、ついうとうととしたらしい。つぎにはっと目ざめたとき、おきちは直感的に夜がすっかり更《ふ》けたのを感じた。

おきちはいそいで起き上がると、父親の寝床を手さぐりした。だが手さぐりをするまでもなかった。父親が帰っていれば騒々しいいびきがしているはずなのだ。寝床はからっぽだった。何とも言えない不安に胸をしめつけられて、おきちはしばらく夜具の上で背をまるめたが、やがて起き上がって草履をはくと外に出た。

裏店《うらだな》は静まり返って、どの家も、軒も黒々と寝静まっていた。おきちは木戸をあけて裏店を抜け出すと、表通りに出た。そして一丁目の方にむかって歩き出した。

思ったとおり空は曇っていたが、どこかに月がのぼっているらしく町はぼんやりと明るかった。ひとっ子一人歩いていない夜更けの町を歩くのはこわかったが、父親をむかえに行くのははじめてではなかった。どこへ行けば父親がいるかもわかっている。そこで酔いつぶれて、家に帰れなくなっているのだと思った。

不動さまの前を、おきちはいそぎ足に通りすぎた。ふだんは子供の遊び場になっているがらんとした境内が、夜は物の怪《け》でもたむろしていそうな無気味な場所に思われる。小走りに道をいそいで来ると、二丁目と一丁目の境にある水路のところで、水音とはべつに蛙《かえる》が鳴くような物音がするのに気づいた。水路が町を横切るその場所は、人家がとぎれて夜は月があってもさびしいところである。おきちは恐怖に胸をとどろかせてその場所を駆け抜けた。

だがそこまで来れば、目ざす「おろく」という飲み屋は近かった。おきちは寝静まった一丁目の町をいそぎ足に通り抜けて、町の中ほどにある稲荷《いなり》横町と呼ぶ路地に曲った。いつもは外にぶらさがっている赤提灯《あかちょうちん》の灯が消えているので、おきちははっとしたが、「おろく」の店はまだ灯がともっていた。破れた障子越しに明るい光が路地にこぼれている。

おきちが障子をあけると、ひとつの飯台に額をつき合わせるようにして話しこんでいた三人の男女が、ぎょっとしたようにおきちを振りむいた。

「おや、おきっちゃん。どうしたのさ、いまごろ……」

立ち上がって塩辛声でそう言ったのは、女主人のおろくである。おろくは若いころに岡場所《おかばしょ》勤めをしていたと言われている女で、もう五十を過ぎている。

相撲取《すもうと》りのようにでっぷりと太った身体《からだ》をしていて、女主人の色気で客を呼ぶというわけにはいかないが茶漬《ちゃづ》け屋の「福助」にくらべると、味はともかく格段に安い酒を飲ませるので、それはそれで店には熊平のような常連がついているのだった。

おろくと話しこんでいた二人も常連客らしく、職人か日雇いといった姿かたちの男たちだった。だが、熊平の姿は見えなかった。

「あの……」

おきちは不安に駆られて言った。

「ウチのおとっつぁん、来ませんでしたか」

「おとっつぁんなら、さっき帰ったよ」

おろくは言って、おかしいねと首をかしげた。

「もう、とっくに家に着いているはずなのにね」

「………」

「だいぶ酔ってたけど、まさか途中で寝こんだんじゃなかろうね」

「………」

「それからね、あんたに言っても仕方ないんだけども、このごろあんたのおとっつぁんには困ってるのよ。古いおなじみさんだから、来れば黙ってツケで飲ましているんだけれども、たまには払ってもらわなきゃ困るって、あたしがこぼしたと言っとくれ」

「すみませんでした、おばさん」

おきちは障子をしめて道にもどった。小さな胸に恥辱感があふれた。おきちの家では、方々から借買いをしていた。中には味噌《みそ》屋の尾張屋や道向かいの油屋のように、晦日《みそか》払いもおぼつかないのを承知で、節季払いでいいよと鷹揚《おうよう》に品物を貸してくれる店がないではないが、二丁目のはずれの米屋のように、うちは貸売りはしませんときびしくことわる店もある。

首尾よく借りられるにしろ、ことわられるにしろ、おきちは晦日に払えるあてもなく借買いをするということにいつも恥ずかしい思いをするのだが、父親が飲み屋の酒までツケで飲んでいたというのは初耳で、暮らしの品物を借買いするよりもっと恥ずかしかった。

――酒なんか……。

飲まなきゃいいのに、とおきちはそれまでは父親に抱いたことのない怒りを感じた。ツケで飲む酒に、父親のだらしなく酔った姿が重なったせいだったろう。おとっつぁんは、酔っぱらっておけいを踏みつぶすところだったんだから、と思った。

表通りに出ると、遠く林町に近いあたりに、一丁目の自身番の灯がぽつりと見えるほかは、灯影《ほかげ》というものがない町が、ふたたび恐怖をはこんで来たが、おきちはこらえて町家の軒下に眼をくばりながら、出来るだけゆっくりと歩いて行った。おろくが言うように、父親が途中に寝こんでいたのに気づかずに通り過ぎて来たかも知れないと思ったのである。

しかしそれらしい人影も見あたらないままに、おきちは洗い場がある町境いの水路まで来た。するとまた、さっき聞いた蛙の鳴き声に似た物音が耳に入って来た。おきちの心ノ臓はぴょんと跳ね上がったが、今度はさっきとは違って胸にかすかな疑念がさしこんで来ている。おそるおそる物音がする方に近づいて行った。

闇に馴《な》れたおきちの眼に、洗い場と反対側の枯草に覆《おお》われた岸から水面にむかって、ちょうど水を飲もうと首をさしのべた大蛇《おろち》のような恰好《かっこう》で、黒い物が斜めに倒れているのが見えて来た。蛙に似た声はそこから聞こえて来て、おきちはすぐに、それが水面にひびくひとのいびきなのに気づいた。倒れているのは父親の熊平だった。

「おとっつぁん」

おきちは駆けよって跪《ひざまず》くと、熊平の身体をゆすった。だが熊平の身体はやわらかく揺れ、おきちがゆすったために水にずり落ちそうになっただけで、いびきはいっそう高くなったような気がした。

おきちは、肩半分と頭が岸からはずれて水面に垂れさがっている父親が水漬けになるのを恐れて、足をつかむと必死にひっぱった。正体を失っている重い身体を動かすのに汗をかいたが、おきちはどうにか父親の頭を岸の枯草の上までひっぱり上げることが出来た。

しかしひき上げられた熊平は、いつもより大きく規則ただしいいびきをひびかせているだけで、おきちがいくら身体をゆすっても、ぴくりとも動かなかった。

おきちは父親の身体から手をひいた。突然に、誰《だれ》かに強《し》いられてそうしているような規則ただしい父親のいびきに、無気味なものを感じたのである。おきちは立ち上がると、助けを呼ぶために二丁目の裏店を目がけて走り出した。

二

昼寝から目ざめたおけいが、布団《ふとん》の中でしくしく泣いているので、みると小便を洩《も》らしていた。おけいはかしこくて、近ごろは夜もおしめがいらないほどになったので、昼の間はずっとおしめをはずしているのだが、たまには今日のような失敗をする。

おきちは鉄瓶《てつびん》の湯であたためた手拭《てぬぐ》いで、おけいの尻《しり》を拭《ふ》いてやり、着ているものを着換えさせた。そうしながら、ちらちらと眠っている父親を見たが、熊平は口をあけていびきをかいているだけだった。

熊平が、倒れていた水路わきから戸板で家まではこばれたのは、三日前の夜である。それから熊平は一度も眼《め》をあけていなかった。おきちが、誰かに強いられていると感じたような、規則ただしく切迫したいびきを繰り返しているだけである。熊平の顔は、酔っているように赤く、唇《くちびる》は罅《ひび》われていた。

三丁目には薬をくれる医者がいるのだが、裏店の誰も、ふだん何かとおきちの家のめんどうを見てくれる向かいの家の女房《にょうぼう》、おうらでさえも医者を呼ぼうとは言わなかった。おうらが、おつなさんに来てもらおうかと言い、白装束のおつなが来て、声高に熊平の病気がなおるという祈禱《きとう》をして行っただけである。おきちは利《き》くか利かないかわからない祈禱に、三十文の金を取られた。

「三丁目の先生は、三十文じゃ来てくれないからね」

おつなが帰ったあとで、言いわけをするようにおうらが言った。

「それに薬ものめないほど眠りこけてる病人じゃ、三丁目の先生だって手のほどこしようがないだろうさ」

おうらの言うとおりかも知れないとおきちは思ったが、それでも昼も夜もいびきをかいている父親をみると、一度は三丁目の医者に見てもらいたいと思うのだった。一年ほど前に、裏店からべつの町に引越して行った富蔵という大工がいる。その家のおはなという五つほどの女の子がひきつけを起こしたとき、富蔵が三丁目の医者を呼んで来たのをおきちはおぼえている。働き者の富蔵の家は内証がよく、引越し先は北本所の表店らしいと、裏店のひとたちがうわさしているのを聞いたことがあるから、あの家には医者を呼ぶだけのお金があったのだろうと、おきちはうらやましかった。

——お金さえあれば……。

先生に来てもらえるのにと、おうらには言わなかったが、おきちは父親が寝ついてからずっとそう思いつづけている。いまもおけいを着換えさせ、おぼつかない手つきで与吉の綿入れの破れをつくろいながら、おきちはその考えに気持をうばわれていた。

そのためにおきちは、入口の戸があいて土間にひとが入って来たのに気づかなかった。おけいの方がさきに気づいたらしく、とことことそちらに歩いて行ったとき、むこうから障子がひらいて男が一人ぬっと顔を出した。

その顔が眼はまるく髭《ひげ》もじゃで、そのうえ小鼻がひろがって鼻の穴まで大きい獅子《しし》鼻《ばな》持ちと来ているので、おけいがおどろいて逃げ帰り、おきちのうしろに隠れた。しかし男は一見おそろしげな顔をべつにすれば、父親の熊平よりはいくらか若く、小ざっぱりと職人のなりをした男だった。ただし、おきちははじめて見る顔である。

「熊さんのぐあいはどうだい」

男は、縫物を下においたおきちになれなれしく言ったが、すぐにその眼を寝ている熊平に移した。ひと間だけの家なので、障子をあければ口をあいていびきをかいている熊平の姿は、隠しようもなく丸見えになっている。

男は畳に手をついて、しばらく熊平の様子を見ていたが、身体を起こすと無言で首を振った。そして小声で、ずっとこうかいと言った。

「はい」

「まいったな」

男は太いため息をつき、しばらくあごをなでながら狭い土間に立っていたが、不意に半纏《はんてん》の裾《すそ》をあおって上がり框《かまち》に腰をおろした。

「ねえちゃんにこんな話をしてもはじまらねえかも知れねえが……」

と男は言った。

「熊さんに金を貸してあるんだ」

「……」

「一両と二分だ」

男は首をひねると、丸い眼でおきちを見た。

「わかるかな。一両と二分、大金だぜ」

「わかってねえようだな」

「……」

男はまたため息をついたが、気を取り直したように言葉をつづけた。

「それでよ。熊さんが倒れたと聞いていそいで来てみたんだが、この有様じゃ話にならねえようだな」

男は首を振った。

「ねえちゃん、この家にいま、どのぐらい金があるんだい」

「二百文ほど。でもそれは、お米を買うお金です」

「二百文じゃしょうがねえな」

「あの……」

おきちは、まだおびえているおけいを膝《ひざ》に抱き上げながら言った。

「おとっつぁんは、何のためにそのお金を借りたんでしょうか」

「何のため？」

男の顔にうす笑いがうかんだ。

「知りてえかい？」

「はい」

「知ってもしょうがねえと思うがな」

「……」

「手慰みというのをやるんだ」

男はひらいた手のひらに、こぶしにまるめた片方の手を打ちつける真似《まね》をした。

「サイコロ遊びだよ。おれたち手間取り大工も、熊さんのような日雇いも、雨が降ると仕事は休みだ。そういうときに、ちょっとした家にしけこんでサイコロをいじるんだ」

「……」

「そう言ってもしろうとの遊びだ。大金を賭《か》けるわけじゃねえが、そのたびに貸した金がつもりつもって一両二分というわけだよ」

「証人はいますか」

「証人？」

男はまるい眼をみはって、じっとおきちを見た。

「かわいくねえことを言う娘だな」

「でも、たしかな借金なら返さなければなりませんから」

「ねえちゃん、齢《とし》はいくつだい？」

「十です」

「へえ？　もっと小せえかと思ったら、十になっているのか。それにしても、熊さんがだめになったからねえちゃんに金を返してもらうというわけにもいくめえよ」

　男は立ち上がった。腹が出て、背の低い男だった。

「証人ならいるぜ。三丁目の左官の甚五郎《じんごろう》を知ってるだろう。あいつならこの家にちょくちょく来てたはずだ」

「知ってます」

「甚五郎に聞いてみな。おれの名前は朝太と言うんだ。徳右衛門町にいる手間取り大工だよ」

「………」

「また様子見にくるよ。病人を大事にしな」

　手間取り大工の朝太が帰ると、おきちは深い考えに沈んだ。膝からおりたおけいが、台所に行ったのにも気づかなかった。

――こんなにあちこちに……。

借金があるとは思わなかった、とおきちは思っている。顔を上げて父親を見ると、熊平は相変らずいびきをかいて眠っていた。

どこかでお金をつごうして、父親を三丁目の医者にみてもらうのが先だと、おきちは思った。もしもこのまま、父親が眼がさめずに死ぬようなことがあったら、おきちたち子供はじきに暮らしの金に困り、それだけでなく「おろく」のツケ、朝太からした借金、近所の店の借買いの金は、のこらずおきちの肩にかかって来るだろう。

突然に、台所でがらがらと瀬戸物がくずれ落ちる音がし、つづいておけいの泣く声がした。はじかれるように立ち上がったとき、おきちは自分がいましなければならないことが見えたような気がした。

おきちはおけいを背負って外に出ると、むかいのおうらの家に行った。与吉を呼びに行って来るから、その間に一度、病人をのぞいて見てくれるようにと頼んだ。

「ああ、いいよ」

とおうらは言い、おきちに笑顔をむけた。

「いま八頭《やつがしら》を煮てるから、あとで持ってってやるよ」

いつもすみませんと、おきちは礼を言った。しかし表通りに出ると、与吉があそんでいるはずの不動さまとは反対の方に歩き、やがて古手屋《ふるて》のむかいの路地に入るとおつなの家の前に立った。おつなは祈禱師だが内緒の金貸しをしていることも、おきちは知っていた。

三

祈禱師のおつなは困り切っていた。

おばさんにおねがいがあって来たと言うので茶の間に上げたものの、おきちのそのおねがいが金を貸せということで、しかも借りたい金は五百文だと聞いてはあいた口がふさがらなかった。子供のくせに大胆なことを言う子だと、まじまじとおきちの顔を見た。

おつなは金貸しだが、よほどしっかりした返済の見通しがなければ、大人にだって簡単には金を貸さない。ましてや働きも担保の物もない子供相手には、十文の金だって貸すつもりはなかった。

誰に聞いて来たか知らないが、子供に金は貸せないねとおつながけんもほろろにことわったのは当然である。しかしおきちは、いったん自分ののぞみを口に出してしまうと、あとは貝のように口をつぐんだまま坐《すわ》っている。五百文貸してもらうまでは、ここを動くまいと心に決めて来たのが見てとれた。思いつめたようなその顔を見ていると、そこに小さな大人がいるようで無気味でもある。

そこでおつなは、借りた五百文を何に使うつもりかと聞いた。暮らしの金に困って来たのだろうと見当はついたが、それでおつなに金を借りに来るのはおかど違いである。そういう暮らしの小金は、近所のかみさんたちにわけを話して貸してもらうべきものなのだ、といった道理を話して聞かせようと思ったのだが、おつなの見当ははずれて、おきちは借りた金で父親を医者にみせたいのだと言った。

その返事を聞いて、おつなはつい口をすべらせてしまったのである。

「そりゃ無駄《むだ》だよ、おきっちゃん。お医者を呼んだっておとっつぁんは助かりっこないんだから。役にも立たない借金なんぞ、しなさんな」

ぺらぺらしゃべるおつなを、おきちはぽかんと口をあけて見ていたが、やがてうつむくと、手で顔を隠してしくしく泣き出した。すると、それまでおきちの背中でおとなしくしていたおけいまで、はげしく泣き出した。

「うるさいね。泣くんなら外に出てお泣き」

ひとり者で、子供の泣き声が嫌《きら》いなおつなは、うろたえてそう言ったが、言われたおきちが泣きじゃくりながら立ち上がって土間に行くのを見ると、さすがに自分の軽率なおしゃべりが、子供の心を深く傷つけてしまったことをさとらないわけにはいかなかった。

「ちょっとお待ち。もういっぺん、お坐り」

おつなはおきちをひきとめて坐らせた。そして眠るときと外に出るときのほかは、いつも燈明《とうみょう》をつけっぱなしにしている黒光りする祭壇から、おそなえのせんべいを下げて背中のおけいにあたえた。おけいはそれで泣きやんだ。

「助からないと決まったもんでもないやね、ひどい卒中だけど。おばさんの言い方がわるかったよ」

つまらない失言をしたおかげで、言われた金を貸すほかはなくなったのを感じながら、おつなは言った。

「五百文、貸してやるよ」

「………」

おきちは顔をあげた。涙に汚れた顔にいっぺんに喜色があふれた。おきちは袖《そで》で涙をふきながら笑顔になった。

「まだ、まだ」

とおつなは言った。

「まだ、聞くことが残っている」

「はい」

「借りた金をどうして返す？　ん？」

おつなはいろが白く平目のように肉のうすい顔を、おきちの前に近づけた。

「そこんとこをちゃんと聞いておかなくちゃね。子供だから甘くしてやろうというわけにはいかないよ」

「働いて返します」

「みんな、そう言うんだよ」

とおつなは言った。

「そう言うけど、一人前の大人だってなかなか思うように返せるもんじゃない。ましてあんたは子供だろ？　どう働くんだね」

「おうらさんの鼻緒の内職を手伝ってますから」

「内職の手伝いねえ」

おつなは身体《からだ》をうしろにのけぞらして、じろじろとおきちを見まわした。

「ま、いいか。いずれ熊平さんが……」

言いかけておつなは口をつぐみ、祭壇の下の引き出しから紙を出した。熊平が死ねば、子供たちは離散するしかなかろうし、そのときは家の中の道具も売ることになるだろう。五百文の貸金はそのときにもらえばいいと、あやうく口まで出かかったのだった。

おつなはやっと読めるような字で借用証文を書くと、おきちの前に置いた。

「これが五百文の借用証文。いま印肉を出すから爪印《つめいん》をおしな。子供をだましたなんて言われたくないからね、こういうことはちゃんとしておかなくちゃ」

おきちは家に帰ると、おうらにわけを話してその夜のうちに三丁目の医者に来てもらったが、祈禱師のおつなの言うとおりだった。医者はひととおりは熊平を診察したものの、なすすべもなく帰った。むろん薬もくれなかったが、夜分に歩いて診察に来たのだからと、三百文の金を取って行った。

そして翌日の朝、熊平が死んだ。きょうだい三人だけが取り残された。

四

これをお上がりよと言って、おつなはおきちに、また祭壇から下げて来た豆餅《まめもち》をすすめた。おきちは今日は一人だった。

「大変だったよねえ、あんたも。それで？　ひとおりは片づいたのかい？」

「はい」

「子供たちはどうするの？　あんたが養っておまんまたべさせるわけにもいかないね」

「与吉は大家《おおや》さんの世話で、北本所にもらわれて行くんです。瓦葺《かわらぶ》き屋の家です」

「へえ、じゃ大きくなったら高い屋根に上がって瓦を葺くんだ。で、下の子は？」

「おけいはおうらさんがあずかってくれるそうです。小さくて、よそにくれてやるのはかわいそうだからって」

「それはよかったじゃないか」

おうらさんの家は、自分の子はもう手がかからなくなったから、何とか養ってくれるだろうよとおつなは言い、また豆餅をたべるようにすすめた。

「それで、あんたは？」

「あの家にはもういられませんから、よそに行って働きます。大家さんが働き口を見つけてくれると言ってました」

「やれ、やれ、きょうだい三人はなればなれかね。熊平さんも、子供のことを考えて少しは酒をつつしめばよかったんだ」

おつなはため息をついたが、気を取り直したように言った。

「あんたに貸した五百文だけどね。いずれ、家の中の物は売るだろうから、そのとき大家さんに証文をさし出して、物を売ったお金からもらうことにしようと思うけど、それでいいかね」

「はい。それはいいですけども……」

と言って、おきちはおつなを見た。

「おばさん、またお金を貸してくれませんか」

「いくら?」

「二両です」

「二両だって?」

おつなは眼《め》を丸くし、ついで不機嫌《ふきげん》な顔になっておきちを見た。

「図にのるんじゃないよ。二両なんて大金を、子供のあんたがどうするつもりだね」

「今日、大工の朝太さんが来たんです。おとっつぁんが死んだと言うと、そのひと、困った困ったと言って」

「どうしてさ」

「おとっつぁん、そのひとからお金を借りてたんです」

「いくら?」

「一両と二分です」

「一両二分?」

　おつなは今度は目をほそくした。

「一両二分って、どのぐらいのお金かあんたわかってんの?」

「わかってます。朝太さんに聞きましたから」

「あんたね、おきっちゃん、だまされちゃだめだよ。その男、熊平さんが死んだんでいい加減なことを言ってるんじゃないだろうね。一両二分だなんて」

「いいえ、朝太さんはおとっつぁんが病気になったときに、一度来たんです。それに葬式に来てくれた甚五郎さんに聞いたら、その借金はほんとだそうです」

「甚五郎て、誰《だれ》だ」

「おとっつぁんの友だちです」

「ふーん」

　おつなはおきちをじっと見た。

「でもそんな借金は、子供のあんたが知ったことじゃないだろ。ほっときな」

「でも、その借金でご飯をたべたかも知れませんから、知らないふりは出来ません」

「それにあたしが知らないふりをして、死んだおとっつぁんがみんなにわるく思われるのはかわいそうです」

「変ったことを言う子だね、あんたも」

おつなはもてあましたように言った。

「まるで大人みたいなことを言って」

「……」

「一両二分はわかった。ほかにもう二分も要るのはどういうわけだね」

「油屋さんや味噌《みそ》屋さんから借買いをしています。それからおろくおばさんの店でお酒を飲んで、その借金もたまっています」

「それをみんな払おうと言うんだ」

「……」

「子供のやることじゃないね」

おつなは、膝《ひざ》の上に行儀よく手を重ねて坐っているおきちを見た。

「でも、どうしてもそうしたいと言うんなら、二両のお金を貸してやるよ」

「おばさん、ありがとう」

「まだ喜ぶのははやい」

　とおつなは言った。

「借りるのは簡単さ。だけどこの前も言ったように、返すのはむつかしいよ。さあ、二両の金をどうして返すね」

「大家さんに働くところを見つけてもらったら……」

「だめ、だめ」

　おつなは手を振ってさえぎった。

「大家が世話してくれるようなところはね、あんた、言っちゃわるいけどご飯たべさせてもらうのが関の山だよ。お金なんか、一文だってくれないよ」

「……」

「あんた、いくつだって」

「十です」

「十じゃねえ」

　おつなは首を振った。

「奉公というものはね、はじめの間は屋根の下に寝かせてもらって、おまんまをたべさせてもらう、それに盆暮に何か着る物でももらえば御《おん》の字としたものさ。まして十じゃ、お給金いただくまではまだまだ先が長いね」

「………」

「もっとも、すぐに二、三両のお金になる働き口がないわけじゃない」

おきちは眼をみはって、おつなを見た。

「おばさん、そういうところを知ってるんですか」

「知ってるとも」

おつなは大きくうなずいてから声をひそめた。

「どうしても二両欲しいと言うんなら、そっちで働くしかなかろうね。なあに、奉公のつらさはどこへ行ったって同じことさ」

「………」

「どうする？　あんたがそれでいいと言うんなら、おばさんの知り合いを呼んで働き口をさがしてもらうけど」

五

「熊平というひとはね」

と油屋の政右衛門は言った。

「暗くなったら寝ればいい、油なんかいらないなんて憎まれ口をたたくひとでしたが、そうもいかなくてツケで種油を買ってました」

「なるほど、それがさっきおっしゃった七百文ですか」

大家の清兵衛は言いながら、善六がはこんで来たお茶を政右衛門にすすめた。政右衛門はうなずいて、そうですと言ったがお茶には手を出さなかった。

政右衛門の顔には興奮のいろが残っている。

「実際には七百文まではいかない、六百八十文ほどでしたがね。あたしゃ熊平さんが亡《な》くなったとき、そのツケのことはあきらめたのです。おきちはしっかりした子だが、まさか十の子供から貸しを取り立てるわけにはいきません」

「ところが、その金をおきちが払いに来たと……」

「そうです。これにはあたしはびっくりしました。そこでね、あたしゃぴんと来ましたから、尾張《おわり》屋さんに行ってみたんです。案の定、そこにもおきちはツケを払いに現われたそうです。五百何十文かだったそうですよ」

「ああ、それは尾張屋さんから聞きました」

「あ、尾張屋さんが来ましたか。当然です。十やそこらの子供のすることじゃありませんからね」

「…………」

「それであたしは、事情をたしかめてみようと大家の彦八《ひこはち》さんをたずねたのだが、彦八さんはいなかった。それでおきちの家をのぞいたら、そこも男の子が留守番しているだけで、おきちも赤ん坊もいないものでここに来たんです」

「おきちも彦八さんも、間もなくここに来ます」

と清兵衛が言った。

「二人はいまおがみ屋のおつなの家に行っているんです。油屋さん、あなたもしばらくここにいてくれませんか。喜左衛門さんも来ることになっていますから、ひとつみなさんのお考えを聞かせてもらいたいのですよ」

おきちのことは、朝から大さわぎになっているのだと清兵衛は言った。

発端は、徳右衛門町に住む朝太という職人が大家の彦八をたずね、熊平の娘が一両二分の借金を返しに来たが、もらっておいてかまわない金かどうかとたしかめたことからはじまったのである。

「一両二分」

政右衛門は仰天したという身ぶりをした。

「おきちはその金をどこからつごうしたんでしょうね」

「おつなに借りたのです」

清兵衛が答えたとき、自身番の戸があいて彦八と子供を背負ったおきち、自身番勤めの大家喜左衛門の三人が入って来た。

「どうでした、彦八さん」

呼び出されて来たばかりの喜左衛門に、ざっと事情を話してから清兵衛が言うと、彦八は暗い顔でうなずいた。

「清兵衛さんのお見込みのとおりでね。安蔵という男が間に入って、話はもう決まったと言うのです」

「常盤町《ときわちよう》の安蔵かな。だったらその男は女衒《ぜげん》だよ」

と喜左衛門が言った。清兵衛はうなずいた。

「で、奉公先は？」

「新石場《しんいしば》の小松屋だそうです」

一同は沈黙して、うつむいているおきちを見た。新石場は岡場所《おかばしよ》で小松屋は女郎屋である。

「おつなの言い分ですがね」

と彦八が言った。

「自分の取り分はきっちり二両。安蔵にも決まりの周旋料のほかに余分の儲《もう》けを取ることは禁じた。おきちも納得の上ではこんだきれいな話で、ひとにとやかく言われる筋合いはないと、こうでしたよ」

「まだ間に合うんでしょ」

と政右衛門が口をはさんだ。

「その二両はあたしが立て替えますよ。安蔵とやらにも手間賃をはらってもいい。たった二両で岡場所に売られるなんて、あたしゃみていられません」

「待ってください、油屋さん。その前におきちの言い分を聞きましょう」

清兵衛は、油屋さんはああ言ってくれるが、あんたはどう思っているかと聞いた。

おきちは長い間じっとうつむいていたが、やがて小さい声で、でも親の借金は子の借金ですからと言った。それから顔を上げてつけ加えた。

「それに、もう約束したことですから」

みんなは顔を見合わせた。どの顔にも、出来すぎた返事を聞いた当惑と、かすかな嫌悪《けんお》感のようなものがうかんでいた。

女衒の安蔵が来て、手に風呂敷《ふろしき》包みを持つおきちが家を出て行くのを、人びとが見送った。与吉は北本所に行き、あとに残るのはおうらに抱かれたおけいだけである。

「みなさん、おせわさまでした」

おきちが一人前の大人のように言った。だが言い終ると同時におきちは手で顔を覆《おお》ってはげしく泣き出した。泣きじゃくりながら、安蔵のうしろから木戸を出て行くおきちを見送って、それまでおし黙っていた女たちがいっせいに涙をふいた。やっと十の子供にもどったおきちを見たように思いながらみんなは安心して泣き、口ぐちに元気でねと言った。

春の雲

一

御厩河岸《おんまやがし》から船に乗り、本所石原に上がったときは、日はいま後にして来た対岸の町の上にくっつくばかりに低くなっていた。船の上で風に吹かれたせいか、急に寒くなったようである。親方の芳松《よしまつ》のあとから足をいそがせながら、千吉は小さく身ぶるいした。

そうは言っても、大晦日《おおみそか》から正月三カ日にかけてつづいたきびしい寒さにくらべれば、藪入《やぶい》りの今日は春先のようなあたたかさであった。桶芳《おけよし》の親方芳松は長身で、四十五の男ざかり。長い足ですたすたと歩いて行くので、千吉はときどき小走りになる。

左手に武家屋敷の長い塀《へい》がつづく河岸の道を二人が歩いて行く間にも、日はどんどん低くなって、その最後のきらめきを大川の上に投げている。そのために川波がいちめんに燃え立つように光るのを横目に見ながら、千吉はすぎた一日を振りかえり、こみ上げて来る幸福感を牛のように反芻《はんすう》した。

　桶芳の住みこみの奉公人は、源次と千吉の二人である。源次は十八、千吉は十五、ほかに五十を過ぎた仁兵衛《にへえ》という通い職人がいるが、これは藪入りには関係がない。

　藪入りの日の今朝、住みこみの二人は親方とおかみさんの前に呼ばれて、新しい着る物履くものと小遣いをもらった。小遣いは源次が百文、千吉は五十文だった。着る物は木綿の綿入れと襦袢《じゅばん》、胴着、帯で、履くものは足袋と雪駄《せった》である。深川の平野町に親の家がある源次はさっそく着がえて出て行ったが、千吉は行くところがなかった。

　親がいないわけではないが、千吉の家は江戸者が言う近所田舎、武州足立郡上谷新田にある。中山道《なかせんどう》の宿駅鴻巣《こうのす》宿の手前にある村で、江戸から十二里もあるところだから、源次が深川の家に帰るようなぐあいにはいかない。

　千吉は外に出るのはひとまず後まわしにして、二階の自分の部屋に行った。天井《てんじょう》が低く、格子《こうし》窓の障子がすすけている部屋には、いつものように暗い光が澱《よど》んでいたが、千吉は源次と二人で使っているその部屋にいるときが、いちばん気持が休まる。千吉は押入れから自分の行李《こうり》を引き出して、中に詰めてある品物の整理にかかった。

　手を動かしながら、新しい着物に着がえて東両国まで行ってみようかと、ぼんやりと思った。暑かった去年の夏に、通い職人の仁兵衛にくっついて東両国に行き、軽業《かるわざ》を見せてもらったことがある。あのときのように見世物小屋をのぞき、あとでそばを喰《く》うぐらいの金はある。今日一日はおめえの好きにしな、と言ったのだから、そうしても親方は怒るまい。

そう思ったが、ただ思ってみただけだった。一人で盛り場に行くのは、何となく気がすすまなかった。

桶芳に奉公に来てから、今年で足かけ三年目になる。千吉は少しは江戸の町に馴《な》れて、町内に用足しに出たり、まっすぐの使いなら浅草材木町の金森という材木屋まで往復するぐらいのことは出来るようになったが、まだ一人で盛り場をうろついたことはない。使いの途中、東両国の人ごみの中を通ることはあっても、千吉は大ていはわき目もふらずにそこを通りすぎた。

とにかく江戸は、上谷新田や鴻巣にくらべると、家もひとも多すぎると千吉はふだんから思っていた。その雑踏の中には、へんぴな田舎から出て来た千吉には理解出来ない、江戸のこわさがひそんでいるように思うことがある。それに東両国に行っても、この寒い季節に見世物小屋がかかっているものかどうかもわからなかった。千吉は親方にもらった小遣いの銭を、行李の底に押しこんだ。

その手がちょっととまったのは、この銭でおつぎちゃんの店に昼めしをたべに行こうかと、ふと思ってみたのである。おつぎは、三丁目の中ほどにある一膳《いちぜん》めし屋で働いている若い娘である。背が小さいので、千吉にはどうしても齢下《としした》にしか見えないのだが、じっさいは千吉より二つ齢上の十七だという。本人がそう言うのだから、間違いはあるまい。

おつぎは、千吉の村、上谷新田の家々が百姓仕事のかたわらに内職でつくる雛人形《ひなにんぎょう》に似た、色白で気性のあかるい娘で、千吉はこのごろ一日に一度はおつぎのことを考えている自分に気づく。源次にそのことを打ち明けると、色気づいたのだと言われた。だが、千吉がおつぎの店に行くのは、仕事が混《こ》んで、親方が臨時雇いの職人をたのむときぐらいである。そういうときに頼まれて来る桶職人は、大ていはひとなつっこく、金ばなれがいいように千吉は思う。そういう職人に、おい、昼めしおごってやろう、来な、などと再三一膳めし屋に誘われるうちに、おつぎとも二こと三こと口をきくようになったのである。

しかしむろん、たとえ小遣いの銭があるにしろ、おれはまだ一人でめし屋に入って行ける身分じゃないからと、千吉は思っていた。おつぎの顔を見たい気持とそれは、きっぱりと別ものだという気がする。昼になればおかみさんが何かを喰わしてくれるだろう、と思いながら今度こそ銭を深く行李の底に押しこんだ。

ところが昼前になって、下から呼ばれて親方のお供を言いつけられた。浅草の金森に行くのだという。千吉はおかみさんに言われて、いったん行李にしまった新しい綿入れと襦袢を出し、着がえて親方と一緒に町に出た。

浅草に着くと、親方は門前の茶屋に上がって千吉に菜めしを喰わせた。そして自分はちょっとした酒の肴《さかな》を取りよせて、酒をのみはじめた。そして千吉に、境内に入って遊んで来な、ほらよ、これを持って行けと、さらに手のひらに十文の銭をのせてくれたのである。

その銭は結局つかわなかったが、懐《ふところ》に余分の銭があることは千吉の気分を幸福にした。千吉は約束の八ツ（午後二時）の鐘が耳もとで鳴るまで、境内の人ごみの中をあちこちと歩き回ってから茶屋にもどった。そのあとは親方と一緒に金森にまわって帰って来たのだが、こうして帰りの道を親方のうしろから歩いていると、千吉には親方が、外に遊びに出る才覚もない自分をあわれんで、浅草まで連れ出してくれたのだと思えてならなかった。

幸福感の中身はそういうものだったが、そればかりでもなかった。親方は金森の番頭との話が終ると、ちょいと材木を見せてもらいますよとことわって、千吉を連れて裏に回った。そこには棟《むね》の高い納屋《なや》があって、中に入ると板に仕上げた材木がぎっしりと立ちならび、強い木の香をまき散らしていた。ほら、これが杉《すぎ》でこっちが檜《ひのき》。それにこの板はさわらだと、親方はうす暗い納屋の光の中で、板をなでながら言った。

「ウチでこしらえる手桶なんぞは、たいがい杉か竜眼《りゅうがん》だが、風呂桶《ふろおけ》になると杉じゃだめだ。檜かさわらを使うのだ」

　いっぺんにはわかるめえが、おめえもいずれは板を見るだけで木がわかるようにならなくちゃいけねえ、と親方は言った。

　千吉はまだ、飯をねってそっくいをつくったり、竹釘《たけくぎ》をこしらえたり、桶職人らしい仕事といえばたまにひとに教わりながら割り竹でタガを編むだけの見習い小僧だが、親方の言葉はその千吉に、一人前の桶職人になる心得を説いているようにも聞こえて、千吉にいっとき奉公のつらさを忘れさせたのである。

「ここは素通りして、めし屋に行くよ」

　と親方が言った。考えごとをしながら歩いていた千吉があわてて顔を上げると、そこは桶芳の前だった。

　親方は長い足でどんどん歩いて、そのまま三丁目に入って行く。そしておっかあも藪入りで、今夜はおれとおめえだけだと言った。おっかあというのはむろんおかみさんのことである。親方夫婦には子供がいないが、親方はふだんからおかみさんをそう呼んでいた。藪入りというのはむろん冗談で、おかみさんが神田の実家に帰ったのを言っているのだろう。

千吉は振りむいて桶芳の家を見た。戸も障子も真暗だった。そしてかすかな夕映えの余光が残る二丁目の通りには一人もひとの姿が見えなかった。さびしい光景だったが、つぎに聞こえた親方の言葉が、千吉の今日の幸福感をゆるぎないものにした。

「亀屋《かめ》で、塩鮭《しおざけ》を焼いてもらってめしにしよう」

亀屋はおつぎがいる一膳めし屋である。

二

おつぎは飯台のそばに来て注文を取ってから、千ちゃんこんばんはと言ってくすりと笑った。

「おや、いまのは誰《だれ》だい」

親方は、背をむけて料理場の方に行くおつぎを眼《め》で追いながら言った。

「おめえも隅《すみ》におけねえな。あんなかわいいねえちゃんを知ってるのか」

千吉は顔を赤くしてうつむいた。だが、親方がおつぎをかわいいねえちゃんと言ったのがうれしかった。

「いまのはおつぎちゃんです」

「へえ、おつぎちゃんねえ」

親方がじろじろと自分を見ているのがわかって、千吉は顔を上げられなかった。

「なにから口をきくようになったんだえ？」

「伊作《いさく》さんが……」

と、千吉は臨時雇いで来る桶職人の名前を言った。

「昼めしをごちそうするって、何度かここに連れて来てくれたんです。それから浅吉さんと勘太さんのときも……」

「ふーん、それで知り合ったというわけだ」

「はい」

それだけでは軽薄だと思われそうで、千吉はつけ加えた。

「おつぎちゃんも、田舎はおれと同じ方角の浦和なんです」

「だから仲よくなったか」

「まだ、仲がいいというほどでも……」

「だっておめえ、相手は千ちゃんこんばんはと言ったじゃねえか」

親方はからかうロ調で言った。

「はっきりしろよ。職人はもごもごしてちゃいけねえ。とは言うものの、女の子に気をとられるには、まだちっと早えわな」

親方がまた、じろじろ顔を見るので、千吉は顔を伏せた。

「その前にきちっと仕事をおぼえなくちゃな。女の子に気を取られて修業に身が入らねえようじゃ仕方がねえ」

「親方、そんなんじゃありませんよ」

と千吉は言った。料理場の前におつぎが立って、こちらを見ている。おつぎは千吉が自分を見たのに気づくとにっこり笑った。千吉は胸の中が熱くなるのを感じながら言った。

「おつぎちゃんとは、浅吉さんや伊作さんに連れて来てもらったときに、ちょっと話したことがあるだけです。ふだんに会ってなんかいませんよ」

「あたりめえだ。女の子とつきあうにはまだ十年早い」

と親方は言った。

「おつぎはかわいい娘だが、だから今朝もらった小遣いでめし喰いに来ようなんて料簡《りよう けん》を出しちゃならねえぞ」

親方が、まるで今朝の千吉の胸のうちを読んだような言い方をしたとき、おつぎがめしをはこんで来た。

千吉はうつむいて、めしがのっているお盆を手もとに引きよせた。うまそうな焼き魚の匂《にお》いと味噌《みそ》汁《しる》の香がやわらかく顔にかぶさって来たが、店に入って来たときの食欲は失われたような気がした。

おつぎはほんの少しの間、千吉のそばに立っていたようである。だが千吉が顔を上げずにお盆を引きよせたのをみると、無言ではなれて行った。千吉が顔を上げると、そこだけは二つ齢上ということがうなずけるまるい臀《しり》が、勢いよくゆれて遠ざかるところだった。

——また、仕事がいそがしくなって……。

臨時の職人が来るまでは、おつぎに会うのもおあずけだと思いながら、千吉は味噌汁をすすり、ついで大盛りのめしにかぶりついた。色気の方をひとまずあきらめたとたんに、猛然と喰い気がもどって来たようだった。

三

その職人が来たのは二月のはじめである。伊作でも浅吉でもなく新顔だった。佐之助という名前の、背がすらりとした男前の職人だった。佐之助は見てくれがいいだけでなく、桶職人としてもなみなみでない腕を持つことも、来たその日に証明してみせた。その日佐之助は、タガをつくる竹を割ってけずる仕事に回ったのだが、その仕事ぶりがまるで流れるようだった。

長い竹が、佐之助が左手で調子を取りながら、二つに割り、四つに割り、さらに四つ割りした竹を三つに割って行くのに、まるで生き物のように波打ちながら、寸分の狂いもなく割れて行くのである。

昼になって桶芳のおかみが、昼ご飯を出しますよと言ったが、佐之助はことわった。外で喰うからいいと言った。外から来る臨時雇いの職人はたいていそう言う。家の中を窮屈に思うのかも知れなかった。

「おい、あんた」

佐之助が千吉を呼び、昼めしをおごってやろうかと言ったのは、千吉が佐之助と組んで、タガを編む仕事をしたからかも知れないが、あるいは仕事の間に、千吉が自分にむける眼に讃嘆《さんたん》のいろがうかぶのを見て、気をよくし、昼めしをおごる気になったのかも知れなかった。

千吉はおかみさんに、昼めしに連れて行ってもらうことをことわってから、佐之助と一緒に外に出た。

「いい天気だぜ」

外に出ると、佐之助は両手を頭上にさし上げてのびをした。細身の身体《からだ》が、鞭《むち》がしなうようにのびて、佐之助は力がありあまっているように見える。齢は二十四、五だろう。

通りにはいくらか風があって、その風が思いのほかつめたいので、通行人は前こごみに胸をかばいながらいそぎ足に歩いていた。だが空は雲ひとつなく晴れて、そこから力強い日射《ひざ》しがふりそそいで来る。

「何が喰いたい?」

と佐之助が言った。

「熱いうどんでも喰うかね」

「そっちに行くと、ご飯をたべさせる店があるんだけど」

と千吉は言った。むろん、どうせおごってもらうのなら、おつぎの店の一膳めしがいい、ひさしぶりにおつぎに会える機会が来たのを、むざむざと見のがす手はないと、千吉は思っているのである。

亀屋に案内して、おつぎと親しいところを佐之助に見せつけてやろう。どうやらこっちを子供あつかいしているらしい佐之助は、それを見て眼をむくかも知れねえぞ、と思うと千吉は胸の中にはやくもくすぐったい笑いがこみ上げて来るのを感じた。

「おまんまか。ふむ、おまんまを喰いてえのか」

と佐之助は言った。そして大きくうなずいた。

「よかろ、じゃめしにしよう。案内しな」

昼どきなので、おつぎの店は混んでいた。料理場の方に魚を焼くけむりがもうもうと上がり、一部は客が坐《すわ》っている土間の方にも流れて来る。飯台はあらまし昼めしを喰う客で埋まり、その間をおつぎをいれて三人いる女たちが、注文を聞いたり喰い物をはこんだりして歩きまわっていた。

佐之助と千吉は、声高《こわだか》に話しながらめしをかきこんでいる客の間をすり抜けて、ようやく空《あ》いている隅の飯台にたどりついた。すぐにお盆をかかえたおつぎが寄って来た。赤い襷《たすき》がよく似合い、たくし上げた袖口《そでぐち》から出ている腕が白かった。

「ご注文は？」

「何があるんだい」

と佐之助が言った。

「煮魚、焼き魚、それにしじみの味噌汁と漬け物」

「どこの店も同じようなもんだな」

佐之助がぼやくと、おつぎはあらそうですかと言った。

「焼き魚は鮭と甘鯛《あまだい》の味噌漬け、いわしとあじの干物《ひもの》、煮魚はかれいです」

「おまえさん、何がいいかね」

佐之助が千吉を振りむき、二人は相談して注文の品を決めた。それから千吉が言った。

「おつぎちゃん、このひと今日から新しく来たひとだよ。佐之助さんと言うんだ」

「そうですか」

おつぎは佐之助を見た。佐之助もおつぎを見ていた。

「当分、ウチの店で働くんだ」

と言って千吉は佐之助を見た。

「いつまでいるの？」

「まあ、ざっとひと月かな」

「ひと月だって」

「そう、ごひいきにね」

とおつぎは言ったが、その眼はずっと佐之助にむけられたままである。佐之助もそういうおつぎを見返していた。二人とも一度も千吉を見なかった。

「注文を通さなくちゃ」

おつぎはつぶやいて背をむけたが、その顔が急に赤くなったのを千吉は見のがさなかった。得体の知れない不安にとらえられて、千吉は佐之助を見た。佐之助は、顔にうす笑いをうかべてまだおつぎを見ていた。

四

臨時雇いの桶職人佐之助が表に出て行くのを見ると、千吉は手のタガを板の間に置き、草履を突っかけていそいで後を追った。

今日は通い職人の仁兵衛《にへえ》が風邪で仕事を休み、仕事場にいるのはあとは親方と源次だけだった。その二人は、お昼だよというおかみさんの声で奥に入った。親方は茶の間で、源次と千吉は台所の板の間で飯を喰《く》うのだが、千吉は仕事をやりかけているというそぶりで後に残ると、佐之助の様子を見張っていたのである。

その佐之助は、腕組みの中に顔を落としこむようにうつむき、まるめた背をみせながら千吉の五間ほど先の道を歩いている。佐之助の足は三丁目の方にむいていた。やっぱりだ、と千吉は思った。

——おつぎちゃんの店に行くんだ。

そう思っただけで、千吉の頭はかっと熱くなった。足もとが留守になって、地面から盛り上がっている石にしたたかに躓《つまず》いた。

のぼせの大部分は嫉妬《しっと》から来ていたが、千吉自身は必ずしもそうは思わず、佐之助が自分を無視しておつぎとつき合いはじめたことを怒っているつもりだった。これまでうまく行っていたおつぎとの間に、突然に他人が割りこんで来たのは仕方ない。おつぎと何かの約束をかわしたわけではなかった。だがどこの馬の骨ともわからないその男が、自分を押しのけようとしている気配はたしかに腹に据《す》えかねるものだったのである。

——やり方がきたねえよな。

と千吉はいっぱしの若者のように、腹の中でつぶやいてみた。佐之助を一膳《いちぜん》めしの亀屋《かめ》に連れて行ったのは千吉である。だが佐之助のおごりはそのときの一度きりで、そのあとはもう千吉を誘うそぶりも見せなかった。昼めしどきになると、佐之助はゆるんだ顔つきになって大いそぎで外にとび出して行く。きっとおつぎの店に行くにちがいないと、気をもんで見ていたら案の定だった。

——これじゃ、まるで……。

おつぎという相手が見つかって、おまえはじゃまだと言わんばかりじゃないかと、千吉は怒っている。千吉の怒りには、佐之助のその現金さのために、昼めしのおごりがフイになってしまったいまいましさもふくまれていた。

「おっと、あぶねえぞにいちゃん」

またしても石に躓いて身体《からだ》がおよいだ千吉に、声をかけて来た者がいた。千吉は立ちどまった。

そこは三丁目の湯屋の前だった。竹箒《たけぼうき》をにぎった背の低い中年男が、千吉に笑いかけている。名前は知らないが、その男は湯屋の釜焚《かまた》きだった。湯屋が混《こ》むのは朝晩である。昼どきは客が少ないので、表に出て来たのだろう。肌《はだ》のいろが真黒で、さかやきを剃《そ》るでもなくちぢれ加減の髪をうしろに束ねているだけの男が、歯だけは白くにやにや笑っている姿は、話に聞く鬼の子に似ていた。

「こんな寒い日によ」

千吉ぐらいしか背丈のない釜焚きは、子供のような甲高い声で言った。

「すっころんだら、地べたで顔すりむいちまうだろうさ」

千吉は遠くにいる佐之助を見た。ちょうど佐之助が縄《なわ》のれんをはね上げて店に入るところだった。それから先は想像したくなかったので、千吉は釜焚きには何も言わずに背をむけた。

三丁目と二丁目の境い目あたりまでもどって来たとき、千吉は突然にさむ気を感じて身顫《みぶる》いした。風はなかったが、頭上を鉛いろの低い雲に閉ざされた町には、寒気が張りつめていた。佐之助を追っていたときにはそれほどとも思わなかったのに、いまは歩いていると顔がつめたくなり、鼻先が痛むほどだった。歩きながら、千吉は手をこすり合わせた。

通りにはほんの四、五人の通行人が見えるだけで、通りにむかって口をあけている商い店の暗い入り口が寒々として見えた。千吉の前を、蓑虫《みのむし》のように古びた莫蓙《ござ》を身体に巻きつけた男が歩いている。ろくと呼ばれている物もらいだった。ろくは三丁目のはずれの八幡《はちまん》さま、二丁目の不動さまの境内、一丁目にある法昌院というお寺の堂下などを塒《ねぐら》にしている物もらいである。まだ三十過ぎの若い男だった。すり切れた莫蓙の下から、真黒なろくの足が出ている。ろくは町を歩くとき、いつも何かつぶやいたり笑ったりしている男だが、いまも千吉が追い越したとき、ろくが

「よのなか、やみだな、へ、へ」と言ったのが聞こえた。

桶芳《おけよし》までもどると、家の前におかみさんがいて、手ぬぐいで頰《ほお》かぶりをした祈禱師《きとうし》のおつなと話をしていた。寒そうに手をこすり合わせながらおしゃべりをしていたおかみさんは、千吉を見ると眼《め》をいからしてどなった。

「めしどきにどこをほっつき歩いてんだ、このたこ」

おかみさんは太って腹が出ているので、どなり声にも迫力がある。千吉はちぢみ上がったが、ひさしぶりに田舎の母親に怒られたような気分もちらとした。

すみませんとあやまって家に駆けこむと、うしろからおかみさんの声が追いかけて来た。

「ことわりなしに外に出ると、今度からはめしを喰わさないからね。わかったかい」

台所に行くと、源次がめしを喰い終ったところだった。

「怒られたじゃねえか」

後を片づけながら、源次はにやにや笑った。そしてからかうような口調で言った。

「おめえがどこへ行って来たか、あててみようか」

「……………」

千吉は答えずに、箱膳の上にもうよそってあるめしにかぶりついた。いまにもおかみさんがもどって来て、喰い物を取り上げるのではないかという、恐怖感に気持をせかされている。

だが源次のつぎの言葉は、千吉がいそがしい箸《はし》をとめて思わず源次の顔を見たほど、びっくりさせるものだった。

「佐之助のあとをつけて、あいつがおつぎの店に行くかどうか、たしかめて来たんだろ」

「源ちゃん、どうしてわかったの」

　と千吉は言った。

「見てたんだな」

「ばか言いな」

　源次は鼻を鳴らし、膝《ひざ》を折って千吉のそばにしゃがむと、去年の夏ごろから声変りした大人っぽい声で言った。

「そのぐらいのことは、おめえの様子で察しがつくさ」

「ほんと？」

「ほんとだよ、と言いたいところだけど……」

　源次は、今度は声を出してくすくす笑った。

「じつはおれ、こないだ見ちゃったんだ」

「なにを？」

「二人が一緒のところをさ」

　千吉は食欲が急に失われたような気がした。二人というのは、むろん佐之助とおつぎのことだろう。まだ会って半月もたっていないのに、と思った。もっとも二人がいずれそういう仲になるだろうことは、佐之助をおつぎの店に案内したあの日からわかっていたような気もする。

どこで？　と千吉は聞いた。

「東両国だよ。あそこに梅《うめ》の家《や》という酒を飲ませる店があるんだ」

「うん、知ってる」

「おれ、柳橋の松川に岡持《おかもち》をとどけに行ったことがあっただろ、仕上がりがおくれて夜になって。あの晩さ。二人が梅の家から出て来たのを見たんだ。佐之助のやつがおつぎの肩に手を回したりして、いい気なもんだったぜ」

千吉はそんな話は聞きたくなかった。それで黙っていた。

「だから、おめえが気をもんだって手おくれさ」

「気なんかもんじゃいないよ」

「うそつけ。佐之助のあとをつけたじゃないか」

「……」

「仁兵衛さんに聞いたんだけど、佐之助のやつは遊び人だってさ。これまで何人も女を泣かせているらしいぜ」

「ほんとかい？」

千吉は胸が高鳴った。女を泣かせるということの意味が、十分にわかっているとは言えなかったが、男が女を不しあわせにする感じだけはぼんやりとわかった。源次の話は千吉に衝撃をあたえた。

「じゃ、おつぎちゃんも？」

「そうさ、いまにあいつに捨てられて泣きをみるんだ」

源次が大人のような口ぶりでそう言ったとき、おーらおら、おまえたちというおかみさんの声が台所にとどろいた。

「いつまでおしゃべりしてんだい。おまんまは、もうおしまいだろ」

「はい」

「誰《だれ》が捨てられるんだって？」

「いえ、何でもありません」

「そんなら後を片づけて仕事にもどりな。親方はもう仕事場に行ったよ」

五

「千吉、ちょっと」

仕事場をのぞいたおかみさんが手招きしたので、割竹をけずっていた千吉は、立って仕事場を出た。おかみさんは茶の間に入って長火鉢《ながひばち》のそばに坐ると、千吉にも坐れと言った。

「親方と、浅草に行くんだって？」

千吉ははいと言った。親方の芳松は、今日は朝から注文取りに出ていた。もどったら浅草の材木屋金森に行くからお供をしろ、と言われている。

仁兵衛の風邪がうつったとかで、佐之助が昨日から仕事を休んでいた。そのうえ親方もいないので、仕事をしているのは仁兵衛と源次、千吉の三人だけである。源次はともかく、千吉はまだ手伝いだからいそがしかった。

千吉はおかみさんに、だから親方と一緒に行くことはないと言われるのかと上目づかいに様子を窺《うかが》ったが、見当がちがったようである。おかみさんの表情にはいつもの威勢がなく、曇ったような顔いろをして声も言いにくそうな小声になっている。

「何でおまえを連れて行くんだって？」

「いい板があったら、二、三枚買って帰るからって」

「浅草から板しょって帰ろうってのかい、ばかばかしい」

とおかみさんは言った。その言い方がとげとげしかったので、千吉は口をつぐんでうつむいた。するとおかみさんは、おまえを怒ったんじゃないよと言った。

「親方がおまえをつれて行くのは、あたしの眼をごまかすためなのさ」

千吉が顔を上げると、おかみさんはひょいと小指を立てて見せた。

「浅草にコレが出来たらしいんだよ」

「……………」

「女だよ、いい齢《とし》をして恥ずかしいったらありゃしない」

とおかみさんは言った。そして愚痴っぽいくどくどした口調で、あたしもうかつだった、近所のひとに言われるまで気がつかなかったとか、相手はお百茶屋という田楽《でんがく》茶屋の女中らしいなどということまで打ち明けた。その様子は、怠け者の父親のことを愚痴る田舎の母親に似ていたが、千吉は、おかみさんが何のためにそんなことまで話して聞かせるのかわからなかった。

「この前の藪入《やぶい》りの日も、二人でその茶屋に行ったんだろ」

おかみさんの声が急に詰問《きつもん》口調に変ったので、千吉はうろたえた。それで呼ばれたのだと思った。

「菜飯をごちそうになりましたけど、お百茶屋かどうかはおぼえていません」

「親方はそこで酒をのんだと言ったじゃないか」

「はい」

そう言えばおかみさんに聞かれて、そんな話をしたのだ。ただし十文の駄賃《だちん》のことは言っていない。

「だったら、きっとその店さ」

「…………」

「若い女中がお酌《しゃく》をしたはずだよ。顔をおぼえているかい」

「気がつきませんでした。おれ、境内で遊んで来いと言われて外へ行ったもんで」

「しょうがないね」

おかみさんは長火鉢の引出しをあけて巾着《きんちゃく》をつかみ出した。そして十文だけ数えると鼻紙につつんだ。

「誰にも言うんじゃないよ」

おかみさんは声をひそめて、千吉の手のひらに銭の包みを押しこんだ。

「親方は今日もきっと、その店で酒のむにちがいないから、そしたらおまえは、相手の女子《おなご》の顔をよく見て来るんだよ。いいかい」

「…………」

「出来たら名前も聞いといで。ほかの子に聞けばすぐわかるんだから」

「でも、おれ……」

「何がでもさ。男だろ、しっかりしな」

おかみさんににらまれて、千吉は目を伏せた。するとおかみさんは、ほかのひとに見つからないように、銭は二階にしまってから行きなと言った。

六

何も知らない親方は九ツ半（午後一時）過ぎにはもどって来て、昼めしを喰《く》っていなかったらしく、茶漬《ちゃづ》けで飯を喰うとすぐに千吉を連れて家を出た。

そして、浅草に着くと親方はたしかに材木町の金森に行ったが、そこでは番頭を外に呼び出して、ちょっとの間立ち話をしただけだった。親方は金森を出ると、裏路地伝いに茶屋町にむかった。長い足ですたすたと先を歩いて行く親方を見ると、千吉は胸がどきどきして来た。おかみさんが疑うのも無理はないという気がしたのである。

「こいつに田楽を喰わしてくんな」

文字が読めないからお百茶屋かどうかはわからないが、この前と同じ茶屋の二階の部屋に落ちつくと、親方はついて来た女中に機嫌《きげん》よく言った。

「それからこっちは酒だ。肴《さかな》は田楽じゃ興がねえ、何かべつにみつくろってくんな」

うなるような声で女中が返事をしたので、千吉はうつむいていた顔を上げた。女中は馬のように長い顔をしたいろの黒い女で、齢もおかみさんと大差ない。千吉の眼にも、その女中が親方の浮気《うわき》の相手とは見えなかった。あるいはほかに、おかみさんが言うような若くてきれいな酌取《しゃくと》り女がいるのかも知れないが、酒を言いつけてのんびりと煙草《たばこ》を吸っている親方からは、そういう隠しごとは匂《にお》って来《こ》なかった。

おかみさんは、何か勘ちがいしているんじゃなかろうかと思ったとき、親方が言った。

「田楽喰ったら、境内で遊んで来な。ほら、小遣いだ」

親方は巾着を出すと、なかからつまみ出した十文を千吉にくれた。

「日が暮れるまでにもどればいい。ゆっくりして来な」

はこばれて来た田楽を喰い終ると、千吉は部屋に長居しては親方にわるいような気がして、早々に茶屋を出た。そして言われたとおりに浅草寺《せんそうじ》の境内に入り、ひとが混《こ》んでいる奥山に抜けるころには、親方に対する千吉の疑惑はゆるぎないものになっていた。

金森の用事はあの程度で、どうやら帰りに板を背負わされる気配はない。しかしそうだとすれば、親方は何のためにおれを浅草まで連れて来たのかと千吉は訝《いぶか》しんでいる。

佐之助が休みで仕事がいそがしいことを、親方が知らないはずはなかった。それなのにさほどの用もない浅草までひっぱって来て、田楽を喰わせたあとは日暮れまで遊んで来いという。それだけでもあやしいのに、親方は十文の小遣いまでくれたのだ。ただ無邪気に、親方にかわいがられていると喜ぶわけにはいかないぞと、十五の分別が千吉にささやきかけている。親方はあきらかに、理屈に合わないことをしていた。何のためか。

考えられることはひとつしかなかった。あたしの眼をごまかすためさと言ったおかみさんの言葉が、千吉の頭のなかで鳴りひびいている。おかみさんが察しをつけたように、親方はいまごろ若い女と酒をのんでいるのだろうか。熱い田楽も十文の銭も、自分のうしろ暗い行為を隠すために、親方があらかじめ払った口止め料と考えれば、よく腑《ふ》に落ちる。

少し早目に茶屋にもどって、おかみさんに言われたように女の顔をたしかめるべきだろうか。でも、親方からも小遣いをもらってしまった。

——困ったな。

見世物や矢場、吹き矢の店などがならぶ道を、ゆっくりと行き交っているひとの流れのなかに、千吉は心細く立ちどまったが、ふとその眼が吹き矢で遊んでいる男女ひと組の客にひきつけられた。千吉は眼をみはった。

連れの女の肩を抱いて、吹き矢のひと吹きごとに奇声をあげている男は、風邪をひいたはずの佐之助で、女は化粧のはでな二十ぐらいの女だった。おつぎではなかった。千吉の頭から、親方の姿が掻《か》き消えた。

七

千吉は搗米屋《つきごめや》の暗い軒下に立って、そこから見える湯屋の入口に眼を凝らしていた。湯屋の入口には四角くて大きい掛け行燈《あんどん》が出ていて、出入りする男女の顔を照らしているが、さっき連れ立って中に消えた一膳《いちぜん》めし屋の女たちは、まだ出て来る気配がなかった。

——長いな。

千吉は足踏みをした。ついでに懐手《ふところで》を深くして背をまるめた。昼の間は風もなくあたたかい日が照りわたり、春のおとずれも間近いと思わせたのだが、夜になると町はまた冷えて来た。寒さは夜がふけるにつれて募る一方で、冷えは足もとから下腹まで這《は》い上がって来る。千吉は足踏みをせずにはいられない。

——いったい、何をやってんだろう。

と千吉は気を揉《も》んでいた。亀《かめ》屋の女たちは、むろん湯に入って身体《からだ》を洗っているのだが、それにしてもあまりにのんびりし過ぎないかと、千吉は思っていた。見張りについてから、あらまし半刻《はんとき》（一時間）はたったような気がする。それとも寒くて待つのがつらいので、とりわけ長く感じるのだろうか。

おかみさんには湯に行くと言って出て来た。源次はまだ使いからもどらず、おかみさんは湯銭はくれたものの一人で行くのかいとあやしむような顔をした。当然のことだ。だからはやく帰りたい、遅くなって揉めごとの種になるようなことはしたくないと、千吉はそのことでもいら立っていた。

おかみさんは、千吉は頼りにならないとみたらしく、自分で浅草まで出かけて親方の女をつきとめて来た。お百茶屋の女ではなく、すぐそばの「牡丹《ぼたん》」という小料理屋の女中だったそうだ。名前はおさき。

紅が濃くて口が大きいというその女のことで、三日前の夜に桶芳ではでな夫婦喧《げん》嘩《か》があった。それだけの証拠をつきつけられておそれ入るかと思った親方が、逆に男の顔をつぶしやがったな、このあまと居直ったので、逆上したおかみさんが手あたり次第に物を投げつけ、そのおかみさんを親方がつかまえてなぐりつける大さわぎになったのである。

あげくは決まり文句の出て行けの何のという罵《ののし》り合いで幕を閉じたのだが、おかみさんは翌日になっても家を出て行きはしなかった。ただそれからというもの、家の中にいながら親方とは口もきかず眼《め》も合わせないという、一触即発の状態がもう二日もつづいているのである。これまでの夫婦喧嘩とはたちがちがうようで、この先どうなるかはなかなか予断を許さない。ともかく、何ごとであれいまおかみさんを刺戟《しげき》するのはごくよくないということだけは、千吉もよく心得ていた。

その心配がある上に寒さは次第に堪えがたくなるようで、千吉は一刻もはやく家にもどりたかった。だがやっと機会を見つけて待ち伏せをかけたのだから、女たちが出て来るまでは帰れないとも思っていた。おつぎにぜひとも告げなければならないことがあって、それは明日ではおそいかも知れなかった。

──待てよ……。

千吉は足踏みをやめて、湯屋の入口を凝視した。入口を出入りするひとの姿は稀《まれ》になって、よわい風が出て来たのか掛け行燈の灯《ひ》がゆらめくのが見える。

いくら何でも湯が長すぎやしないか、と千吉は思っていた。そんなにいつまでも湯に漬《つ》かっていたら、身体がふやけてしまうだろう。ひょっとしたら、出て来た女たちに気づかずに、見のがしてしまったのではないだろうか。油断なく見張ったつもりだが、途中少し考えごとをして気がそれた気もする。

千吉は見張りをしくじったかも知れないという心配に胸をとどろかせて、搗米屋の軒下をはなれた。そして小走りに湯屋の前まで来たとき、まるでそうして千吉が動き出すのを待ちかまえていたように、提灯《ちょうちん》を持った亀屋の女三人が外に出て来た。

「おや、桶屋の千ちゃんじゃないか」

目ざとく見つけて声をかけて来たのは、おつぎではなくて亀屋の主人の妹おまつだった。おまつは三十を二つ三つ過ぎているが、その齢になるまで一度も嫁に行ったことがないのは、千吉もうわさに聞いている。

太い男声、赤茶けた髪とお盆のような丸い顔。その下につづく鳩胸《はとむね》、出《で》っ尻《ちり》の短軀《たんく》をみるたびに、千吉はさもありなんとうわさを肯定する気持になるのだが、おまつは働き者でさっぱりした気性の女だった。

「どうしたの？　これからお風呂《ふろ》かい」

「そうじゃないよ、おつぎちゃんにちょっと話があるんだ」

「おや、それじゃあたしたちはおじゃまかしら」

おまつが言って一番齢下のおはるに眼くばせすると、女たちはくすくす笑った。本気ではないのだ。だがその言葉をきっかけに、おはるがまたあしたねと言った。おまつが提灯を持たせようとしたが、おはるはいらないと言って背をむけた。

おはるは亀屋の住み込みではなく、二丁目の裏店《うらだな》に家があった。まだ十四である。小走りの下駄《げた》の音をたてて遠ざかる姿を見送ってから、千吉が言った。

「内緒話じゃないよ。おまつさんがいたってかまやしない」

「あら、そうなの」

「歩きながらでいい？　寒くなるから」

おまつに気をつかって、おつぎがそう言った。千吉がいいよと言い、三人は亀屋の方にむかって歩き出した。

「佐之助さんのことだよ」

千吉はすぐに話し出した。

「あのひとには気をつけた方がいいよ、おつぎちゃん」

千吉は、源次や仁兵衛から仕入れた佐之助の評判、自分が浅草で目撃した佐之助の女のことなどを大いそぎでしゃべった。

「職人としちゃいいひとなんだけどなあ。腕はたしかだし気っぷはいいし。でも、女にはだらしないひとらしいよ。おつぎちゃん、だまされないようにしな」

だが千吉の懸命な説得に対する女たちの反応《はんのう》は意外なものだった。千吉の話が終ると、二人はげらげら笑い出した。

「ほうら、言わないこっちゃない」

と言って、おまつはおつぎの背中を力いっぱいどやしつけた。

「男ぶりがよすぎるって言ったろ。やっぱり遊び人なんだ、あのひと」

「おまつさんたら、あんなこと言って」

どやされて、おつぎはうれしそうに笑っている。

「あのひととは何でもないって言ったでしょ」

おつぎはうそをついている、と千吉は思った。夜の東両国を佐之助と一緒に歩いているおつぎを、源次だけでなく仁兵衛も見ていた。一度や二度のことではなかった。

そしておつぎは、おれの忠告をまじめに聞いていないとも思った。語気鋭く千吉は言った。

「源ちゃんは、あいつにひっかかった女はみんな泣きをみるって言ってたよ」

「ほら、泣きをみるんだってさ」

女二人はまたくすくす笑い、今度はおつぎがおまつの背を打った。軽薄なしぐさにみえて、千吉はがっかりした。

おつぎが立ちどまった。そこは亀屋の前だった。戸をあけたおまつが、笑いながら暗い店の中に姿を消したあと、千吉はやっとおつぎと二人でむかい合った。

「ありがとね、千ちゃん」

おつぎは一人前の女のように言った。

「でも心配しないで。佐之助さんとは、ほんとに何でもないんだから」

千吉は絶望的な気分で、口をつぐんだままおつぎの前に立っていた。

千吉は走って桶芳にもどった。おかみさんに怒られるかと思ったが、茶の間は暗く、台所をのぞくと手燭《てしょく》の光で源次が飯を喰っていた。一人でもきっちりと膝《ひざ》をそろえている。

「源ちゃん、いま帰ったの？」

「そうだよ、おめえはどこへ行ってたんだ」

「湯屋」

「うそつけ。手ぬぐいも持ってねえじゃねえか」

「……」

「いまから夜遊びなんぞ、よしたがいいぜ」

「ごめん。おかみさんは？」

「出て行ったよ。明日からおれたちが飯を炊《た》けってさ」

千吉はにわかに心細くなった。

「もう帰って来ないつもりかな」

「帰らねえさ。親方があのざまだからな」

「親方は？」

「まだだ。若い女と酒のんでんだ、きっと」

八

外に使いに出て、桶芳《おけよし》が見えるところまで帰って来た千吉は、不意に足をとめた。桶芳と隣の竹皮問屋山城屋の間に、裏に抜ける細い路地があって、店横の羽目板に古くなった竹や材木が立てかけてあるのが見える。

そこにひとがいた。佐之助と若い女だった。女は千吉に背をむけているので、それがいつか浅草寺の奥山で見た女かどうかはわからない。と思う間もなく、佐之助が手をあげて女の頰《ほお》を打ったのが見えた。

千吉は、胸が大きくひとつ波打ったのを感じた。打たれたのがおつぎであるような錯覚に襲われている。佐之助はそのまま桶芳にもどり、袂《たもと》で半分顔を隠した女が小走りに路地から道に出て来た。千吉は、その女がすぐそばを駆け抜けるのを茫然《ぼうぜん》と見送ったが、女の姿が遠くの人ごみにまぎれると、突然に強い不安感につつまれるのを感じた。

——おつぎちゃんに会わなきゃ……。

と思いながら千吉は歩き出し、足音をしのばせて店の前を通りすぎると三丁目にむかった。

今度こそ佐之助の正体を見たぞ、と思っていた。ああして倦《あ》きると前の女を捨て、つぎの女に乗りかえるのがあいつのやり方なんだろう。おつぎが、いつの間にか佐之助のほかの人間は眼に入らなくなっているらしいのにあきれて、一時は勝手にしろと思ったが、さっきのような場面を見てしまっては見過ごしも出来ない。

千吉は怒りと不安で身体が熱くなるのを感じ、大股《おおまた》にずしずしと歩いた。怒りの大部分は、やはり嫉妬《しっと》から来ているのだが千吉は正義を行なうつもりでいた。おつぎに会って、今度こそ目をさましてやるのだと思った。

亀屋の前に行くと店の障子戸がひらいていて、中から頭を手ぬぐいでつつみ、この寒さに襷《たすき》できりきりと袖《そで》をしぼり上げたおまつが出て来たところだった。手に水が入った桶をさげている。

夜の客が立てこむまえに、店の中を掃き出して水を打つところらしかった。

「おや、千ちゃんどうしたの」

とおまつは言った。おまつは千吉より背が低く、頭の手ぬぐいのせいで顔ばかり大きかったが、赤い頰をして相変らず元気いっぱいに見える。

「おつぎちゃんいる？」

「あら、あんた知らなかったの」

おまつは水桶を地面に置いた。

「おつぎ、店をやめちゃったよ」

千吉は声が出なかった。やっと、それはいつのことかと聞いた。

「もう五日ぐらいになるかねえ」

「どこへ行ったか、知りませんか」

「さあ、知らないけど、あんたのとこの佐之助さんに聞けばわかるんじゃない」

おまつは意味ありげに笑うと、千吉にうなずいてみせた。

九

どうもお世話になっちまって、また声をかけたときには来てくんな、という親方と佐之助の声が、下の茶の間から聞こえて来る。臨時雇いの仕事が今日で終り、賃金をもらって佐之助が出て行くところだった。

千吉は梯子《はしご》の上でじっと耳を澄まし、佐之助が土間に出た気配を聞きとると、うす暗い梯子をすべり降りた。日が長くなったせいで、空にも町にもまだ日没の明るみが残っている。佐之助の姿はすぐに見つかり、千吉は慎重にあとをつけはじめた。

佐之助が六間堀《ろっけんぼり》そばに住んでいることは仁兵衛から聞いていたが、その仁兵衛も佐之助の家は知らなかった。千吉はあとをつけて、その家を突きとめる気だった。そこには、いまに捨てられるのも知らないでおつぎが一緒に住んでいるにちがいないと思っていた。

今夜はおつぎの居場所を突きとめたら、すぐに帰る。いくらおかみさんに出て行かれてから腑《ふ》ぬけのようになっている親方でも、ことわりなしに外に出ては怒るだろう。

佐之助は、千吉が懸念《けねん》したように東両国に回る様子もなく、二ノ橋の通りに出ると、道を左に曲った。まっすぐ家に帰るつもりらしかった。千吉もつづいて角を曲った。

もううす暗くなった弥勒寺《みろくじ》前の道を抜け、橋をわたって河岸ぞいに森下町から六間堀町へと、佐之助のあとをつけて行った。

その裏店の木戸に一歩踏みこんだ千吉は、ぎょっとして立ち竦《すく》んだ。心ノ臓が喉《のど》もとまでせり上がって来たような気がした。眼の前に、佐之助が立っている。

「何か用かね、千の字」

と佐之助が言った。路地の灯明かりに、佐之助の声を立てない笑顔がうかび上がっている。千吉は後じさりした。

「いえ、べつに」

「べつにという言い方はないだろう」

佐之助は笑顔のまま、千吉が後じさった分だけ前に出て来た。

「なあ、知らねえ仲じゃなしひとつざっくばらんに行こうや。おまえ、ずっとおれをつけて来たな。何のためだい」

「……………」

「誰《だれ》に頼まれた？　与次郎かい」

佐之助が言わねえとこうだぞと言い、不意に千吉は腹をなぐられた。痛みが脳天まで駆け上がり、眼に涙がにじんだ。

「ちがうよ、おれ、おつぎちゃんが……」

「おつぎ？　おつぎがどうしたい」

と言ったが、佐之助の顔にはほっとしたいろがうかんだようにみえた。

「いるんじゃないんですか。佐之助さんの家に」

「さあ、いるかも知れねえし、いねえかも知れねえな。どっちみち、おめえが知ったことじゃねえだろ」

「………」

「そうか、おめえおつぎが好きなんだな」

佐之助の顔に、また笑いがもどった。

「だったら腕ずくで取り返しな。女を取り返すやり方をおしえてやろうか。ほら、こうやるんだ」

いきなり頰が鳴って、眼から火が出た。つづいて身体《からだ》がふわりと浮き、千吉ははげしく地面に叩《たた》きつけられていた。千吉ははね起きた。痛みよりも怒りでわれを忘れていた。

「悪党、女たらし」

叫ぶと、千吉はがむしゃらに佐之助になぐりかかって行った。また軽々と身体が浮き、千吉は今度は顔からさきに地面に落ちた。

桶芳にたどりついたところで千吉は力が尽き、膝を折って入口の戸に倒れかかった。大きな音をたてた。その物音を聞きつけたらしく内側に灯が動いて、戸があいた。

「どうしたんだね、この子は」

わめいた声はおかみさんである。安堵《あんど》感で千吉は気が遠くなった。

「まあ、まあ、血だらけじゃないか。喧嘩《けんか》か。まったくウチの男どもときたら、ちょっと留守にするとこのざまだからね」

太い腕と厚くてあたたかい胸が、ぐいと千吉を抱え上げた。

ひと月ほどたった。梅はそろそろ終りで、向嶋《むこうじま》や上野の桜のつぼみがすっかりふくらんだというウわさだった。寒さはまだ残っているが、冬とはちがって寒気は弱く、長つづきもしない。

千吉は源次とならんで、三丁目の一膳《いちぜん》めし屋亀《かめ》屋の方に歩いて行った。歩いて行く方角の空に、綿をまるめたような丸くてやわらかい感じの雲がうかんでいる。大小三つの丸い雲は、日の光を吸ってもいろに輝きながら、少しも動かずじっと同じ間隔を保っている。

「源ちゃん、大丈夫かい」

と千吉は言った。親方とおかみさんが、朝からどこかの寺詣《てらまい》りに出かけて留守だった。むろん二人の飯はあるのだが、源次が冷飯はかったるいから亀屋に行こうと言い出したのである。

「大丈夫だ。心配いらねえよ」

と源次は言った。仁兵衛さんだって、持って来た弁当を喰っているのにな、と千吉はやましい気持で亀屋ののれんをくぐったのだが、店に入ったとたんに、源次が自分を外に連れ出した意味をさとった。

料理場の前から、二人を振りむいた若い女がおつぎだった。

「千ちゃん、ごめんね」

注文を取ったあとで、おつぎが言った。おめえが佐之助とやり合って、血だらけでもどって来たことを話してやったんだ、と源次が言った。

「なあに、大したことはないさ」

と千吉は言った。自分がとても落ちついているのを感じ、正面からおつぎを見た。

「それで、あいつとはもう切れたのかい」

千吉はいっぱし大人の気分で言った。

みたび猫《ねこ》

一

紅屋の若旦那《わかだんな》栄之助は、櫛挽《くしひ》きの重助を「福助」に連れこむと上げ床の席に上がりこんだ。客はまばらだった。酒を注文すると、栄之助はすぐに言った。

「うさぎ屋におさめた櫛を見たよ」

酒が来るのを待ちきれないで、栄之助は言った。

「あれとおんなじものを作ってくれないか。とりあえず十枚」

「しかし、若旦那」

「どうしました、重助さん」

栄之助は急にバカ丁寧な口調になって、重助の顔をじっと見た。そしてまくしたてた。

「まさかうさぎ屋にはおさめるけれども、ウチの注文は受けられないなんて言うんじゃないでしょうね。同じ町内で、それはないでしょうよ」

栄之助がそう言ったとき、小女《こおんな》が酒と煮染《にしめ》をはこんで来た。「福助」の煮染は通いの料理人ではなくおかみのおりきが自分で煮つけるのだと聞いている。いい味で、栄之助はこの店に来ると煮染を喰《く》わないと落ちつかない。

栄之助は銚子《ちょうし》をつかんで重助に酒をついだ。そして手酌《てじゃく》で自分の盃《さかずき》も満たすと、ひと息に飲んだ。ほどよく燗《かん》のついた酒が喉《のど》をすべり落ちて胃ノ腑《ふ》を焼いた。

「ご注文を受けられないなどと、大それたことを言うつもりはありませんけど……」

と言いながら、今度は重助が栄之助に酒をついだ。

「しかし、ちょっと無理ですよ」

「なんで？」

「あっしはずっとお六屋でやって来た櫛挽きで、解かし屋じゃありませんからね」

「そんなことはわかってます」

と栄之助は切り口上で言った。重助がつくったという見事な蒔絵《まきえ》のある櫛が目に残っていて、重助がその櫛を自分の店ではなく、商売がたきの徳右衛門町のうさぎ屋におさめたということにこだわっていた。

重助が言っているお六屋とか解かし屋とかいうのは櫛挽き職人が仲間うちで言う呼

び名で、お六屋は梳《す》き櫛専門の職人、解かし屋は解き櫛、髪掻《かみか》き櫛、重助がうさぎ屋におさめたような挿櫛《さしぐし》をつくる職人を指す。ほかに縦もの屋と呼ばれる毛筋立て、鬢《びん》浮《う》かしだけをつくる櫛挽きがいた。重助はお六屋で、紅屋にも梳き櫛をおさめている。

「そのお六屋が、どうしてうさぎ屋に挿櫛をおさめたんですかね」

「それはつまり、たのまれたからですよ」

「じゃ、ウチでもたのもうじゃないですか」

「いえ、そういう意味じゃありませんで、一回こっきりというおたのみだったもので ひきうけたんです」

「ふーん」

栄之助はつまんだ盃を膳《ぜん》にもどして、さぐるように重助を見た。

「なにか、あれですか。お六屋が挿櫛をつくっちゃいけないという、仲間うちの御法でもあるんですか」

「いえ、そんなこともありませんけど、挿櫛は手間がかかりますし、それに根《こん》をつめる仕事になりますんで、あっしには合わねえんですよ」

「ふーん、もったいない」

と栄之助は言った。重助がうさぎ屋におさめた蒔絵塗りの櫛は逸品で、あっという間に売り切れたことを栄之助は知っている。それを重助に言っていいものかどうかと、少し迷ってから栄之助は言った。

「評判よかったらしいですよ、あんたの挿櫛」

「ああ、そうですか」

「うさぎ屋から聞いてなかったんですか」

ほっとして栄之助は言った。安堵《あんど》感にみるみる気持がほぐれるのを感じた。それなら重助をくどいて、紅屋の抱え職人にして挿櫛をおさめさせることも不可能ではない。何と言ったたって同じ町内の人間だ。

ただし正式にその話を決めるためには、お茶漬《ちゃづ》け屋ではなく芸者のいる料理屋で一席もうけるものだろうと思いながら、栄之助は空《から》になった銚子を持ち上げて小女を呼んだ。するとうす暗い料理場の前で、さっきまではいなかった若い女が、灯《ひ》の入った提灯《ちょうちん》を持ったままおかみのおりきと話しているのが見えた。女はこちらに背をむけているので顔はわからないが、男ごころをそそるような形のいい臀《しり》をしている。

「重助さんは……」

女のうしろ姿にちらちらと眼《め》を投げながら、栄之助は言った。

「挿櫛を専門にやる気持はありませんかね。もしその気があれば、おさめ値のことはわるくないような相談をさせてもらうつもりですけどね」

「ちょっと無理でしょうよ」

　重助はさっきと同じ言葉をくり返した。

「なにしろウチは嬶《かかあ》がいねえもんで、飯を炊《た》かなくちゃならねえ、洗濯《せんたく》もしなくちゃならねえというざまで、根をつめる仕事は出来かねるんでさ」

「おかみさんからは、その後何の便りもないわけ？」

「ええ、ひまをみてさがしてはいるんですけどね」

「ふーむ。でも、あれからかれこれ半年はたつんでしょ？」

　栄之助は指を折ってかぞえ、それから無責任に言った。

「いっそきっぱりとあきらめて、かわりのかみさんをもらったらどうなんですか。半年も音沙汰《おとさた》なしじゃ、もうもどって来るとは思えませんがね」

　そう言ったとき栄之助は、おりきと話していた若い女が、煮染でも入っているらしい小鍋《こなべ》を受け取ると、くるりと身体《からだ》を回して出口にむかうのを見た。女は栄之助と眼が合うと、やわらかくしなをつくって流し目を送って来た。根付け師の妾《めかけ》おもんだった。前よりも若く、きれいになったように見えた。おもんは、そこに栄之助がいるのを先刻承知だったようである。

媚《こ》びるような笑いをむけたまま店を出て行くおもんを、栄之助は口をあけて見送ったが、重助に見られているのに気づくと、顔をもどしてあわてて盃の酒を飲んだ。

「この話はいずれ、席をあらためて話し合いましょうや」

栄之助はあわただしく言い、懐《ふところ》から財布をひっぱり出して腰をうかした。おもんを追って行く気になっている。手を上げて、栄之助は立ち上がろうとする重助を制した。

「いや、そのまま、そのまま。あたしはひと足先に出ますが、もったいないからあんたは残っているお酒を片づけて帰ってください。それからね、お金を払って行きますので、おりきさんに丼《どんぶり》でも借りて、煮染をおみやげに持って帰ってください。明日のおかずになりますよ」

「こいつはどうも」

「それからさっきの蒔絵の櫛ですがね。期限を切らずにとりあえず十枚、これなら出来るんじゃありませんか」

言いながら栄之助は畳敷きから土間にすべり降りた。そして手に財布をにぎって、ちょっとの間宙をにらんでからつけ加えた。

「その櫛ですがね、十一枚にしてください」

二

「桶芳《おけよし》のかみさんは、家にもどったんですか」

と大家《おおや》の清兵衛が言った。あちこちから花のたよりが聞こえて来るというのに、花冷えというのか、今日は朝からくもり空でうすら寒い。半月ほど前にひいた風邪が、熱や鼻みずはおさまったものの、まだ完全にはなおり切っていなくて、清兵衛は善六に火をいれてもらった箱火鉢《はこひばち》を抱くようにして書役《かきやく》の万平に話しかけている。

朝いれてもらった炭火は、昼近くなると心細いほどに小さくなったが、立つと背筋にさむけが走るようで、清兵衛は土間に降りて炭をつぎ足すのを躊躇《ちゅうちょ》している。だが書きものをしている万平は気づかない様子だった。筆を動かしながら言った。

「もどったそうですよ。若い者じゃあるまいし、亭主《ていしゅ》の浮気《うわき》ぐらいでいちいち実家にもどってたら、女房稼業《にょうぼうかぎょう》はつとまりますまい」

「そう、そう。それに実家だってひと晩ぐらいはともかく、長くなればいい顔はしないでしょうからな」

「ま、かみさんとしちゃ本気じゃなくて、亭主をこらしめたつもりでしょうよ。あの家はほかには女手がなくて、芳松《よしまつ》とあとはぼんやりした小僧二人だけですから。かみさんがいなくなりゃ、たちまち飯を炊くにも困るはずです」

「それで、芳松はこりましたかな」

「さあて、どんなもんでしょう。あの齢《とし》ごろの浮気沙汰というのは、案外執念ぶかいものですからね。それに芳松は、若いころは職人にめずらしく堅物《かたぶつ》だった男です。いまごろ浅草あたりに色女をつくるのは、むかし遊び足りなかった証拠でしょうから、はたしてこのままおさまるかどうか」

「刃物沙汰の心配がなければいいですよ」

「それは大丈夫でしょう。あのかみさんは腹の太いところがあるし、それに中年の浮気は、しつこくしてもいずれ沙汰やみになります」

「そういえば、こないだの夜、紅屋の息子とおもんがもめているところに出会ったんですって？」

「ええ。あの日は清兵衛さんが喜左衛門さんとかわってお帰りになったあと、あたしは書類つくりに手間どって、ここを出たのが五ツ半（午後九時）過ぎになりました。その帰り道で二人に会ったのです」

「どのへんで？」

「町筋からちょいと小川ばたに入ったところですよ」

「もめていたというのは？　喧嘩《けんか》でもしてたんですか」

「いえ、相手を打ち叩《たた》いたり大きな声を出したりというわけじゃなくて、何かこう、男がまつわりつくのを女の方がいやがって逃げてるんですよ。女が提灯を持っていましてね。あたしに気づいて男は顔をそむけましたが、間違いなく小間物屋の息子でした。女はおもんですよ」

「いつの間に逆になったんだろう」

清兵衛は首をかしげた。

「おもんがしつこくて小間物屋の店先まで押しかけるようになったもので、息子は恐れをなして手を切ったような話を聞いてたんですがね」

「そう、そう。あたしもそう聞きました」

万平は筆をおいて、声をひそめた。

「あのとき紅屋では、少なからぬ金を使ったようですよ」

「焼けぼっくいに火がつきましたかな」

清兵衛はにが笑いし、そのとたんに軽く咳《せ》きこんだ。

「相手は主《ぬし》ある花ですからな。もめごとが起きないうちに、あの息子もきっぱりとあきらめればいいのに……」

清兵衛がそう言ったとき、自身番の戸があいて、懐手《ふところで》をした岡《おか》っ引《ぴき》の島七が入って来た。

「さむい、さむい。何でいまごろ、こんなに寒くなるんですかね」

島七は手を懐から出すと、寒さにかじかんで赤くなった鼻先をつるりとなで、上がり框《かまち》に腰をおろした。

「外は寒いかね、島七さん」

「もう、冬に逆もどりしたみたいですよ。まさか雪は降るめえと思いますけど」

「まさかね」

清兵衛はねずみいろに曇っている障子戸に眼をやった。

「お茶を上げたいが、お湯がぬるくて上げられません。善六が使いに出てるものでね」

「いいえ、けっこうです。すぐにお暇《いとま》しますのでお気づかいなく」

と島七は言ってから、身体をねじって部屋の中に乗り出すようにした。島七は声をひそめた。

「あいつがまたこっちにもどって来そうなもので、気をつけてください」

「まだつかまっていないんですか」

「まだです」

島七は眼を光らせて、清兵衛と万平を順々に見た。万平がまた筆をおいた。

「もどって来るというのは、どういうわけですか」

「いったんは小名木川《おなぎがわ》の向うまで行ったという話だったね、島七さん」

清兵衛が言うと、島七はそのとおりですとうなずいた。

「ここで二丁目の酒屋に入ったあと、泥棒《どろぼう》の野郎は森下町、元町と荒らして、この冬は川向うの伊勢崎町《いせざきちよう》に現われやがったんです。やれやれ遠くへ行っちまったと思ったら春先になって常盤町《ときわちよう》の質屋がやられ、そしてゆうべ……」

島七は言葉を切りもったいをつけるように二人を見た。

「六間堀町《ろつけんぼり》の雪駄《せつた》問屋がやられました」

「へえ」

「やっぱりもどって来たんだ」

万平と清兵衛が同時に言い、島七はうなずいた。そしてさっと立ち上がった。

「またあっしの縄張《なわば》りに入りこむつもりですよ。やつがそのつもりなら、こっちも黙っちゃいられねえ。当分は夜昼なしに、手下に縄張り内を見回らせるつもりです。そんなわけですから、こちらさんでも町内に何か不審なことでもありましたら、あっしに声をかけてもらいてえんで」

三

「重助の家へ行って来る」

着換えながら栄之助が言ったが、おりつは何も言わなかった。行燈《あんどん》の下で、子供の肌着《はだぎ》らしいものを縫っている。おりつは着換えを手伝うそぶりも見せなかった。

「挿櫛《さしぐし》をたのんであるんだが、あまりすすんでないようなんだ。催促して来る」

「おそくなるんですか」

不意におりつが言ったので、栄之助はどきりとした。胸の内を見すかされたような気がしたのである。だが、おりつはただそう聞いてみただけのようで顔も上げなかった。

「さあて、どうなるか。重助の様子次第だな。あんまりはかどらないようだったら、『福助』で一杯飲ませるのがいいかも知れないし……」

言葉をにごして栄之助は夫婦の部屋を出た。茶の間の前を通るとき、孫をからかっている両親の声と子供の笑い声がしたが、栄之助は顔を出さずに通りすぎて外に出た。

——おりつとは……。

もうだめかも知れないな、と暗い町を歩きながら栄之助は思った。去年の梅雨明けのころにおもんとの仲が明るみに出て、ひと騒動持ち上がったときはおりつはあまりさわがなかった。出て行くとも言わなかった。ただそれ以来、若い夫婦の間はぎごちなく冷えたままになっている。いまからこんなじゃしょうがないと、栄之助は夜よりも暗いものに心を覆《おお》われるのを感じながら歩いて行った。

しかし重助の家の方とは反対側に歩き、一丁目と二丁目の境を流れる水路に沿っておもんの家の方に道を曲ったときには、栄之助の気持にはおりつのことはほんのわずかしか残っていなかった。かわりにおもんが胸いっぱいに入りこんで来た。

——あいつ……。

自分から誘いながらじらしやがって、と栄之助は胸の中のおもんを罵《のの》った。だが本気で怒っているのではなかった。夜道を走ってせっかく追いついたのに抱かれるのをこばんだおもんのやり方が、二人がよりをもどす機会を一層たのしくする薬味のようなものだとわかっている。

そういうおもんとのやりとりには、玄人《くろうと》が玄人の出方を窺《うかが》うたのしさがあった。抱かれるのをこばみながら、おもんは胸や腿《もも》にさわる栄之助の手は振り払わなかったのである。そのときのおもんの熱い腿の感触が甦《よみがえ》り、歩きながら栄之助は思わず息をみだした。

窓には明るく灯がともっているものの、四半刻《しはんとき》（三十分）たってもひとの声は一度も聞こえなかった。旦那《だんな》は来ていない、と栄之助は結論を出した。いたらいたでいい。懐に重助がつくった挿櫛が一枚ある。言いわけはそれで出来るだろう。

さっきからしきりに梅の花が散って、栄之助にふりかかる。膝《ひざ》の花びらを払って立ち上がろうとしたとき、栄之助の前に白い物がすっと近寄って来た。玉という三毛猫《みけねこ》のようである。栄之助が喉《のど》をなでてやると、猫はすぐに喉を鳴らし甘えるように低く鳴いた。

「おれをおぼえていたらしいな」

ささやいて栄之助は立ち上がった。そのとたんに、栄之助はうしろから何者かにどっと組みつかれて地面にのめった。栄之助も猫もぎゃっと声を出した。

窓がひらき、事態をさとったらしいおもんが外に走り出て来たとき、栄之助は二人の男に組み敷かれてもがいていた。男の一人は腰から縄をはずそうとしている。

「あんた方は何ですか」

「お上の御用をつとめる島七の手下さ。いま、泥棒をつかめえたところだ、どいててくんな」

「泥棒だって？　このひとは小間物屋の若旦那ですよ」

「ほんとだ。懐に櫛がある。見てくださいよ、櫛をとどけに来たんだ」

栄之助も半泣きの声で叫んだ。男たちは半信半疑の顔を見合わせ、暗いところに逃げた猫が高い声で鳴いた。

乳　房

一

日が暮れかけているしぐれ町二丁目の通りを、おさよははだしで歩いていた。すれちがうひとがびっくりした眼《め》で自分を見るのもわかったし、途中何度かひとに名前を呼ばれたのも聞こえた。いまも八百常の前を通りすぎたあたりで、聞きおぼえのある女の声がおさよさんどうしたんだね、その恰好《かっこう》はとどなったけれども、おさよは顔も上げずに通りすぎた。

誰《だれ》とも話したくなかったし、ひとにどう思われようとかまわなかった。頭の中に途方もなく大きいおどろきとかなしみが渦巻《うずま》いていて、ひとのことを考える余地などなかった。おさよはただ、少しでもはやく自分の家から遠ざかりたい一心で道をいそいでいた。

しかし歩いているうちに足のうらにしくしくと小石が喰《く》いこみ、今度の痛みはいきなり脳天までひびきわたったので、おさよは足をとめた。足のうらを見ると血が出ている。皮膚を切ったのだ。

——どうしよう。

おさよの頭にいくらかひと心地《ごこち》がもどって来た。おさよはいまいるところが二丁目のはずれで、むこうに水路がのぞいているのをたしかめると、片足をひきずってそちらに歩いて行った。

季節が梅雨に入っているせいで、水路はあふれるほどに水をたたえ、事実水は一部で岸まで這《は》い上がって草を濡《ぬ》らしていた。おさよは通りから水路に沿う道に入りこむと、洗い場の奥の青芒《あおすすき》の陰にうずくまった。そして着物の裾《すそ》をまくって足先を水に浸すと、丹念に足のうらを洗った。血はそれでとまったが、痛みは残った。おさよには、その痛みがいま抱えている心の痛みのように思えて来る。

一日中どんよりと曇っていた空が、夕方になって西の方からいくらか雲が切れ、いまはその隙間《すきま》を洩《も》れる淡い日射《ひざ》しが江戸の町に落ちかかっている。光は水辺にうずくまっているおさよにもとどいて、おさよは水にうつる自分の影を見た。青ざめてほつれた髪をした女が、茶色がかった日の光に染まりながら水の中でおさよを見つめている。

指を水に濡らして、おさよはほつれた髪をかき上げた。するとまた、さっき見たばかりのおぞましい光景が眼の奥に甦《よみがえ》って来た。すぐに胸がくるしくなって来た。

働きに行っている林町の洗い張り屋で、めずらしく仕事が早く終った。おさよは洗い張り屋を出るとそばのいさば屋で鯵《あじ》の干物《ひもの》を買い、ついでに向い側の菓子屋でよもぎの餅菓子《もちがし》を買った。軽く気持がはずんでいた。亭主《ていしゅ》が退屈して待っているだろうと思ったのである。

亭主の信助が風邪で仕事を休んでいた。もっともその風邪はあらかたなおって、今日あたりはずる休みをするところだとおさよはにらんでいた。信助は植木屋で鉢物《はちもの》、苗物、作庭と何でもこなし、ことに庭つくりにいい腕を持っていて親方に信用されているらしいのだが怠け癖がある。わずかなことにかこつけては仕事を休む。

そのわるい癖がなかったらもっとお金がたまるだろうにと思わないでもないが、おさよはそのことであまりつよく信助を責める気にはなれなかった。夫婦はまだ子供がいなかったし、二人とも若かった。所帯じみた考え方が身につくにはまだ少し間があった。

いまに子供が出来れば怠けることも出来なくなるのだ。それに庭つくりの仕事にかかったときは、信助は大きな石を動かしたりしてうんと身体《からだ》を使うのだからと、おさよの亭主を見る眼はどうしても甘くなりがちだった。

おさよが裏店《うらだな》にもどったとき、路地の中はまだ明るかった。いつもはもどって来ればあたりは暗くなっている。そういうことにも気持がはずんだ。だからおさよが足音をしのばせて家の土間に入ったのはべつに他意があったわけではない。信助をびっくりさせてやろうと思っただけである。

怠け者の信助はまだ眠っているかも知れない。そしたら揺り起こして寝ぼけまなこに餅菓子を突きつけて見せてやろう。信助は酒よりも甘い物が好きな男である。おなかも空《す》いているし、飯の支度をする前に先にお湯だけわかし、二人で餅菓子をたべるのもわるくはない。

それとも餅菓子などはあとにして、だまって布団《ふとん》にもぐりこんでやろうか。信助はその方を喜ぶかも知れない、と思いながらおさよはつきあたりの障子を勢いよくあけ、「バア」と言った。するとその眼に、いつか信助に見せられた極彩色《ごくさいしき》の枕絵《まくらえ》のように、からみ合っている男女の姿がとびこんで来た。

おさよはあっけにとられた。一瞬さっき頭にうかんだ妄想《もうそう》がそっくり眼の前にあらわれて、信助に組みしかれている女が自分であるような錯覚に襲われたようだった。

むろんそんなばかなことがあるはずはなく、女の方が先におさよに気づいた。女は

「あら、あら」と言うと少し邪険なほどの力をこめて信助を押しのけた。その拍子に信助の身体にかくれていた白い胸と、三人の子供がいるとは思えないほどに大きくて形のいい乳房があらわれた。女は同じ裏店に住む、子持ち後家のおせんだった。

どれほどかの間、おさよは口をあけておせんの乳房を見ていたような気がする。われにかえって、裸足《はだし》で家をとび出したのはそのあとである。

——あのひとは……。

まだ眼に残っているおせんの乳房を思い出しながら、おさよはぼんやりと思った。おせんさんのあの大きなおっぱいに気持を惹《ひ》かれて浮気したのだろうか。おさよの乳房は小さくて、信助と抱き合うときにおさよはいつもそのことでひけ目を味わった。ばかだな、そんなことを気にするやつがあるものかと、信助はおさよがそのことを言うと笑いとばしたが、あれはやっぱり嘘《うそ》で内心は不満だったにちがいない。それはともかく……。

——もう、家には帰れない。

とおさよは思った。あんなやり方で自分を裏切った信助は、いまは他人よりも遠い存在に変ったようである。信助にもおせんにも、二度と顔を合わせたくなかった。残して来た自分の持ち物なんかいらない、このままどこかに行ってしまおうとおさよは思った。

しかしおさよはどこに行ったらいいかわからなかった。下谷の一丁目、常在寺のそばに実家があって、兄がほそぼそと附木《つけぎ》作りをしている。しかし兄はまだ三十を過ぎたばかりなのに、子供が四人もいていつも嫂《あによめ》に頭を押さえられているせいか、まるで四十男のように老《ふ》けていた。狭くて暗い中に、嫂の甲走った声がひびく家。そこに帰っても自分の居所はないだろう。

裏店の大家清兵衛の顔がちらとうかんで来た。動顚《どうてん》して裏店から表通りに走り出たとき、おさよは無意識のうちに、いま家の中で見たことを清兵衛にうったえたいと思ったようである。清兵衛は、ふだんは店を息子にまかせて一丁目の自身番に勤めている。そこに駆けこんで何もかも聞いてもらいたい。そういう気持がなかったわけではなく、現にそのために一丁目を目ざして歩いて来たようにも思うのだが、そのときのはげしい気持はもうおさよから失われていた。

うったえたところでどうなるものでもないと、おさよは投げやりな気持で思った。それで信助との仲がもとにもどるわけでもあるまい。

そう思ったとき、おさよの胸に天涯《てんがい》孤独に似た、行き場のない思いがあふれた。石で切った足がまだ痛んでいる。おさよはひっそりとすすり泣いた。日が落ちて、ほと

ん ど音を立てずに流れている水路の水もおさよも、暮色につつまれはじめていた。

深く身体を折り、両膝《りょうひざ》に額をつけて泣いているおさよに、そのときうしろから声をかけた者がいた。

「おさよさんじゃねえか。こんなところで何をしてるんだね」

そのやさしい声におさよは聞きおぼえがあった。洗い張り屋の女房《にょうぼう》の弟で与次郎という名の男である。おさよはあわてて手で涙を拭《ふ》いた。

二

「さあ、もう一杯飲んだらいい」

与次郎は言いながら、おさよの盃《さかずき》に酒をついだ。二人がいるのは稲荷《いなり》横町の飲み屋「おろく」である。時刻ははやいが、仕事帰りらしい職人姿の男たちが三人ほど、もうかなりいい機嫌《きげん》で声高《こわだか》に話していた。

「飲めば、少々のふさいだ気分なんてものは、きれいに消えちまうものさ。知らねえ仲じゃなし、酔ったら家まで送って行くよ。心配しねえで、ぐっとあけてみなって」

言われるままに、おさよはまたひと息に盃半分ほどの酒を飲んだ。何とも言えないにがみとむせるほどの熱さが喉《のど》に来てくるしいほどだったが、そのくるしさが自分をいじめているようでむしろ快かった。胸が熱くなった。

どうにでもなればいいんだと、おさよはぼんやりと思った。知らない仲じゃない、などと男は言っているが、おさよは与次郎がどんな人間かは知らなかった。時どき洗い張り屋にやって来ては姉から小遣いをせびって行く姿を見ているだけである。だが、それもどうだっていいだろう。

「少々なんてものじゃないんですよ、与次郎さん」

とおさよは言った。自分の声が変に甲高くなっているのがわかったが、あのひとたちだってあんな大きな声を出してるんだからかまいやしないと思いながら、おさよはちらりと職人たちを見た。

与次郎に言葉たくみに「おろく」に連れこまれたときは少し緊張したが、落ちついてみると、「おろく」はいまのおさよの気持に一番しっくりと合っている場所のように思われて来る。しかし、そう思うのはほんの二杯足らずの酒のせいなのだろうか。

「わかってるとも。あんた、ひとりで泣いていたもんな」

与次郎は声のやさしい男だった。そう言いながら手をのばして、飯台の上のおさよの指にそっとさわった。

「ご亭主と喧嘩《けんか》したんだろ？　ん？　わかってんだから」

った。

「これか？　これだな？」

与次郎はひょいと小指を立ててみせた。笑顔の歯が、ぞっくりとそろって白い男だった。

「裏切られたのよ」

「よくあることさ。だけど、いくらくやしいからって身投げの算段なんぞは、よしたがいいぜ。第一あんなところにとびこんだって、死ねやしない」

まさか、とおさよは思った。水路はいくら水が多くても腰ぐらいまでしか水嵩《みずかさ》がないことは、おさよもふだんから見て知っている。

それに、二度と信助に会うこともないような、遠いところに行ってしまいたいとは思ったが、死のうとまで考えたわけではない。おせんのために死ぬなんて、まっぴらだ。でも、男がそんなふうに見たのなら、そう思わせておこうとおさよは思った。天涯孤独と思ったのに、一人でも自分に同情してくれる人間がいたのがうれしかった。

「だいぶ顔色がよくなって来たぜ。もう一杯飲みなよ」

与次郎はまた酒をついだ。そして自分もつづけざまに手酌《てじやく》で盃をあおった。だが与次郎は酔いが顔に出ないたちらしく、「おろく」に来たときと同じ顔をしている。

「なんだったらおれに話してみないか。聞いてやるよ」

与次郎はまた手をのばすと、今度は自分の指でおさよの小指の内側をそっとなでるようなしぐさをした。女のように華奢《きゃしゃ》な指にさわられた瞬間、おさよは身体《からだ》の中を何かぞっとするようなものが走り抜けた気がした。嫌悪《けんお》感ではなく、快感だった。

このひと何をしたのだろうと思いながら、おさよは手をひいた。正気にもどった気がして与次郎を見たが、男は気づかなかったような顔をしてしゃべっている。

「悩みごとは胸にためといちゃいけないよ。話してみなって。さっぱりするから」

そのとき「おろく」にまた新しい客が入って来た。与次郎はからの銚子《ちょうし》を持ち上げて、酒とどなった。その声が自分に話しかけるときとはちがって、濁って聞こえたのでおさよはまた男の顔を見た。もっとも顔に出ないだけで与次郎も酔っているのかも知れなかった。

おかみのおろくが自分で酒をはこんで来た。そしておさよの前の盃を見ると、露骨に顔をしかめた。

「ちょっと次郎さん、このひとにはあまり飲ませない方がいいんじゃないの」

与次郎にむかって言ったのだが、じろさんと聞こえた。

「どうして」

「どうしてって、ひとのかみさんでしょ」

「おや、ばあさん知ってんのかい」

「知ってますよ、このひと二丁目の植木屋さんのかみさんだもの」

　おさよは顔を上げた。おろくには見おぼえがなかったが、先客の三人の職人が手をやすめて自分を見ているのに気づいた。その中に自分を知っている者がいて、おかみに耳打ちしたのかも知れなかった。

「よけいなお世話かも知れないけど……」

　おろくは今度はおさよに言った。

「じろさんはこわいひとだからね。どういう知り合いかわからないけど、このひとと飲むのはやめた方がいいと思うよ」

「おう、おう、ずいぶんはっきりと言ってくれるじゃねえか」

　与次郎は言ったが、怒った様子はなくてくすくす笑っている。おろくは男にはかまわずに、なおもおさよに言った。

「ひょっとしたらあんた、お酒飲むのはじめてなんじゃないの。見てててはらはらしちゃうよ。いい加減にして家に帰んなさいよ」

「変な店だぜ、この店は。お客にむかって飲まねえで帰んなって言ってやがる」

「ほっといてくださいよ、おばさん」

おろくが言った家という言葉に刺戟《しげき》されて、おさよはまた眼がうるんで来るのを感じた。行き場のない気分が胸にあふれた。おさよは盃に残っていた酒をひと息にあけた。

「あたしには帰る家がないんですから」

「ほら、こういうわけだ」

と与次郎が言っている。

「と言っても、なに、夫婦喧嘩でいっとき頭に血がのぼっただけさ。血がさがれば分別ももどってくら。な、おさよさん」

「あたしはね」

けわしい口調で、おろくが言った。

「あんたが一緒なのが気にいらないって言ってるんだよ」

「こいつはご挨拶《あいさつ》だ。なあーに心配はいらねえよ、これからちゃんと家まで送りとどけてやるさ」

だが「おろく」から一丁目の表通りに出ると、与次郎はおさよの家がある二丁目とは逆の方向に歩き出した。

おさよはそれに気づいたが黙っていた。どうせ行くところがないんだからと思い、その先のことを考えるのはやめた。足もとがふらつき、心ノ臓ははげしく鳴っているが気分はわるくなかった。与次郎が言ったとおり、飲めばふさぎの虫も顔をひっこめるようである。

ただ、肩にかかって来る与次郎の手がわずらわしく、おさよは時どきその手を振りはらい、自分のその動きによろめいた。与次郎はまた表通りをそれて暗い路地に入った。

「あたしをどこに連れて行くつもりですか」

おさよが立ちどまってそう言った。路地の奥に、わずかな光にうかび上がる裏店の木戸が見えている。おさよの胸に、はじめて不安が芽ばえた。

「心配することはねえって。家まで送って行くよ」

「でも、方角が違うでしょ」

「家に寄って、お茶を一杯飲んで行ったらどうかと思ってよ。酒をさまさねえとまずいんじゃねえのかい」

与次郎はぴったりと身体をくっつけて来た。手はすばやくおさよの腰に回っている。

「さあ、遠慮はいらねえぜ。ちょっとだけ寄ってくんな」

与次郎のおしゃべりに、わずかに押しつけがましいひびきが加わった。言いながら与次郎は、おさよの腰骨の上にあたっている手を微妙に動かした。またぞっとするようなものが身体をざわめかせたが、今度の快感にははっきりした恐怖がふくまれていた。

このひとはあたしを堕落させようとしている、とおさよは思った。その恐怖でおさよは高い声を出し、与次郎から身体をはなそうとしたがおそかった。与次郎はいつの間にか、しっかりとおさよを抱えこんでいた。

「はなしてよ」

「何をあわててんだい、おさよさん。落ちつこうぜ。心配はいらねえって言って……」

与次郎の声が途中でとぎれた。そしておさよをつかまえていた手がはなれ、突然男たちのなぐり合いが起きた。

何がはじまったのか少しもわからなかったが、おさよは夢中で路地の入口の方に走った。表通りに出ると黒い人影が立っていて、もう大丈夫だよと言った。その声は飲み屋のおかみおろくだった。

「心配してお客さんを頼んでつけて来たら、案の定さ。仕返しがこわいから、さきに自身番にとどけておこうか」

そう言うと、おろくは先に立って歩き出した。

三

おさよは居酒屋のおろくのうしろから、一丁目の自身番に入った。すると中にいた数人の男が、いっせいにおさよとおろくを見た。そしてそのうちの一人、上がり框《かまち》に腰かけてうつむいて大家の清兵衛と話していた男も、ひょいと二人を振りむいたと思ったらそれがおさよの亭主《ていしゅ》信助だった。

おろくは酒でつぶれた声で、こんばんはと言ったが、おさよは入口の敷居で立ちどまった。うしろからおろくの臀《しり》をつついた。

「おかみさん、あたし……」

「あら、ちょうどいいじゃないの、ご亭主がいて、大家さんがいて。さあ、話を聞いてもらおうじゃないの」

「おさよか。いままでどこにいたんだね」

と言ったのは信助ではなく、部屋の中にいた大家の清兵衛だった。信助はおさよを見てさっと立ち上がったものの、そこから一歩も動かず青白くひきつったような顔をしておさよを見ている。

「家をとび出したまま行方が知れないと、信助が青くなってとびこんで来てね。その事情というものを大体聞いたところだが……」

と言って、清兵衛はおさよの足もとをじっと見た。

「あんた、はだしで家を出たそうじゃないか。信助も信助だが、あんたも大人げない……」

清兵衛はそこまで言ってから、急に気づいたように、みんな掛けたらどうかと言った。

「おろくさん、あんたもちょっと腰をおろしなさい。立っていられちゃ落ちつかない。おさよはあんたのお世話になったようだね」

「それが大家さん……」

上がり框に腰をおろしたおろくが、太った身体を回して答えようとしたとき、奥の三畳の板の間から、うなるような声で何が大家だとわめいた男がいた。

「やい、大家。こんなところにおれを閉じこめやがって。あとでこの番屋、火ィつけて灰にしてやるからな。おぼえてろ」

「てめえ、黙らねえか」

板の間と表の六畳を区切っている障子の際《きわ》にいた男が、腰をおろしたまま障子をほそ目にあけると口ぎたなく罵《ののし》りかえした。

おさよとおろくはおどろいて三十半ばぐらいのその男を見たが、すぐに奥の板の間には何かわるいことをした者がつかまっていて、罵りかえした男は店番ではなく、どうやら岡《おか》っ引《ぴき》島七の手下らしいと見当がついた。罵られた男は黙りこんでしまい、おろくが咳《せき》ばらいをひとつして、それがね大家さんと言い直した。

「ともかく、うろついていたこのひとを拾って、あたしの家に連れこんだのがいましてね。一体誰《だれ》だと思いますか」

「そんなことはあたしにわかるわけがない」

「与次郎ですよ」

「ああ、与次郎」

清兵衛はうつむいているおさよを見、それから鎌首《かまくび》をもたげるように上目づかいに自分を見ている信助を一瞥《いちべつ》してから、眼をおろくにもどした。

「あれはよくない男だよ。世間には鏡とぎの職人だと言っているけれども、本職は女衒《ぜげん》だというううわさがある」

「そうでしょ？　あたしもつねづねうさんくさい男だと思ってたもんだから、あいつがこのひとを連れて店に入って来たときはほんとびっくりしたわけ。なにしろ青い顔をしてるし、来たときははだしだったし……」

「それで？」

「注意して見てたら、あいつがこのひとを物にしようとかかっているのがよくわかるんですよ。腰かるく外に行って草履を買って来る、やさしいことを言って酒をすすめる、合間にちょいと身体にさわったりしてね。うまいんですよ、やり方が。ところがこのひと、おさよさんというのかね、このひとにはそれがちっともわかってないわけ」

「……」

「あたしゃ黙ってみててもよかったんだけど、ウチのお客さんがね、あれは二丁目の植木屋のかみさんだよと言うもんだから、植木屋さんなら時どき家に飲みに来るひとだし捨てておけないと思ってね。与次郎に、もう飲ませるなって言ったんですよ」

「そうかい。よく言ってくれた」

「そうしたら大家さん、びっくりするじゃありませんか。あいつこのひとを連れて店を出ちゃったんですよ」

　お客に加勢してもらって取り返して来たけれども、事情ありげなおさよを一人では帰せないし、また与次郎という男が男だからこうしてとどけに来たのだと、おろくは能弁にしゃべった。

するとおろくの長いおしゃべりが終るのを待っていたように、奥にいて姿の見えない男が大家さんよと言った。さっきの勢いはなくて、声はいやにしょんぼりしている。

「おれは竹次と言うんだよ。川向うの松坂町に住んで、れっきとしたかかあもいる大工だぜ。はやく家に帰してくんねえかなあ」

声がとぎれたと思うと、男はすすり泣いている。どうやら酒に酔っている様子だった。

「おれは田原屋のそばで小便しただけだよ。何にもわるいことをしてねえ者を、こんなところにつなぐなんてひどいじゃねえか」

「竹次さんとやら……」

振りむいた清兵衛が言った。

「あんたはいまは酒がさめて来たからそんな殊勝な声を出しているけど、さっきはあばれてひとに怪我《けが》をさせたんだよ。おぼえてるかね」

「そんなおぼえはねえ」

「じゃ小便のあとで、田原屋の塀《へい》を乗りこえようとしたのもおぼえてはいないだろうね。ま、もうちっと待ちなさい、じきに島七さんが来るから。島七さんが来て、あやしいふしはないとわかれば、すぐにかみさんのそばに帰してやります」

清兵衛はまた上がり框の三人に向き直った。

「ところでおさよ。こうして信助が心配して迎えに来ているのだから、今夜のところはかんべんしてやって、一緒に帰ったらどうだね」

「……」

おさよはうつむいて、じっと自分の膝《ひざ》を見つめている。信助には一瞥もくれなかった。そのかたくなな態度をもてあましたように、清兵衛があんたが怒る気持はわからぬでもない、と言った。

「誰に聞かせたって、信助がわるいと言うに決まっている。浮気《うわき》するにことかいて同じ裏店《うらだな》の者と乳くり合うなどということは……」

「大家さん」

それまで黙っていた信助が、いそいで口をはさんだ。

「そんな、乳くり合うなんて。さっきも申し上げたように、あっしはその、ほんのいっときつまり魔がさしただけなんで……」

「おまえは黙りなさい」

清兵衛はそっけなく言った。

「ま、そういうことで信助がわるいには違いないが、それがこのとおりかわいそうなほどしおれて、あやまって来ているわけだ。あんたをさがして、何とかとりなしてくれと言ってな。信助はあんたが見つからず、どうにかなったときはとても生きてはいられないとまで言ったよ」

「おさよ、おれがわるかったよ」

と信助が言った。

「二度とあんなことはしないから、一緒に家に帰ってくれねえか」

「大家さん、あっしもそのひとらと一緒に帰してくんねえな」

と、奥の板の間につながれている男が言った。清兵衛は、おまえさんは黙ってろと言ったでしょうがと叱《しか》ったが、それはむろん奥の酔っぱらい男ではなく、信助を叱ったのである。

「あんたが家をとび出したのも無理はない」

清兵衛はまた、おさよに顔をむけた。

「亭主の顔など二度と見たくないと思ったかも知らんが、ところが男というものはな、かみさんが嫌《きら》いというのではなくとも、ひょいと隣の花に眼《め》が移ったりするものです」

「…………」

「もちろんおせんは花という柄《がら》じゃない。うばざくらにしてもトウが立ち過ぎているが、乳だけはりっぱで、まるで牝牛《めうし》なみだ」

清兵衛の顔に、説教中にしては不謹慎なにたにた笑いがうかんだ。

「夏場なんぞ、うすものの下にあれがのぞいているのを見かけると、男は眼のやり場に困ってしまう。大方信助もおせんのでっかい乳にたぶらかされたに違いなかろうて」

うしろにいた店番の若い男二人と、島七の手下がくすくすとしのび笑った。

おさよは頭にまた血がのぼるのを感じた。清兵衛の笑顔も、うしろにいる男たちの笑い声も気にいらなかった。みんなで乳房が小さいあたしをばかにしていると思い、ひとに侮《あなど》られるもとをつくった信助に、新しい怒りがこみ上げて来る。

「大家さん、あたしのことならどうぞほっといてください」

とおさよは切り口上で言った。そしてふだんはこわくてろくに口もきけない清兵衛に、そんなりっぱな口をきいてしまった自分にびっくりして、おさよは涙ぐんでしまった。

涙声でおさよはつづけた。

「ほんとに申しわけありませんが、あたし家には帰りたくないんです」

「家に帰らないでどこに行くつもりだね」

と清兵衛が言うと、黙って聞いていたおろくが、何だったら自分がひと晩預かってもいいと言い出した。

「このひと、飲みつけない酒を飲まされて、まだ正気がもどってないんですよ。どうせ乗りかかった舟だもの、あたしが明日まで預かります」

四

「おせんさんと一緒に暮らしなさいよ。その方がめんどうがなくていいじゃないの」

帰るために立ち上がった信助に、おさよはとどめを刺すようにきつい言葉を投げつけた。信助は何か言いかけたが、いまは何を言っても無駄《むだ》だと思ったのか、暗い眼をじっとおさよにそそいだだけで背をむけた。

元気のない背中を見せて、男が店を出て行くのをおさよは見送った。ざまをみろという気持になっていた。

おろくの家に居ついて、掃除をしたり夜は店を手伝ったりするようになってから、もう五日たっていた。その間信助が一度も顔を見せなかったら、おさよはきっと疑心暗鬼にとらわれ、そのうちにはきっと不安でいたたまれなくなったに違いないが、信助は毎日、それもおろくの店があく前後に時刻をはかったようにたずねて来た。そして店の隅《すみ》におさよを呼び出して、はやく家にもどってくれと懇願するのだった。

信助がいまでは本心からあの日の出来事を悔い、自分にもどってもらいたがっていることがわかると、おさよの気持にはゆとりがうまれた。逆に、そう簡単にはもどってなんかやるもんかと、意地わるい気分が胸いっぱいにひろがって来る。

正直の話、おさよは自分がこんなに執念ぶかく、意地のわるい性格の女だったことを知っておどろいていた。今日のように、信助が飯の支度が大変だ、汚れ物がたまったと訴えるのを聞いても、同情の気持は少しもわかず、おさよは内心いい気味じゃないの、自業自得《じごうじとく》だわよと思うのである。

ただしそうしてつきはなすとき、信助が落ちこんだ苦境を無条件に喜ぶほどには気持はねじまがっていなくて、おさよは心のどこかに瘡《かさ》ぶたをはがすような痛みを感じることがあった。それは多分信助を許しかけている証拠だったのだが、おさよはまだそこまでは気づかず、自分は相変らず信助のしたことを憎んでいると思いつづけていた。

じっさいにあの日に目撃したことを思い返すと、おさよの心はいまもなお強い怒りと、そしてなぜか身のおきどころがないほどのはずかしさに襲われるのである。

——家にもどれだって？

よくも言えたもんだ、とおさよは思っている。自分のしたことを考えてみなさいよ、あたしはどんな顔をしてあの裏店に帰れるというのさ。

裏店の者は、いきさつを知って信助とおせんをいい笑いものにしたに違いないが、帰ればさっそくにおさよのことも笑いものにするだろう。三十を過ぎた子持ち後家に亭主《ていしゅ》を寝取られたドジな女房《にょうぼう》だと。そのおせんと顔を合わせることを考えると、おさよは嫌悪《けんお》感で身体《からだ》が顫《ふる》えるようだった。

「あんなこと言って、いいのかい」

料理場から顔をのぞかせたおろくが、声をかけて来た。

「あとで後悔しても知らないよ」

「いいんですよ、おかみさん」

おさよは灯《ひ》をいれるために、きびきびと店の中の掛け行燈《あんどん》をはずして歩きながら言った。

「あんなふうに言われて、あのひとが怒ったら怒ったでいいんです。あたしは家にもどる気なんかありませんから」

「おや、まあ……」

おろくはため息をついた。それから魚を焼く炭火の加減を見るために腰をまげた。

そのためにつぎのおろくの声は、袋の中でしゃべるように籠《こも》って聞こえた。

「あたしゃあの晩、親切のつもりであんたをつれて来たんだけど、考えてみるとよけいなことをしたかも知れないね。あのままご亭主にくっつけて、家に帰せばよかったんだ」

「あたしがいるのが迷惑ですか」

おさよは手をとめておろくを見た。

「そうだったら言ってくださいな。ほかに働き口をさがしますから」

「迷惑だなんて言ってないよ。手伝いはおすみ一人だから、あたしゃあんたがいて助かっているさ。ただね……」

おろくが黙りこんだと思ったら、料理場でたちまち魚を焼く音と匂《にお》いがし、店の方にもうもうと煙が吹き出して来た。煙にむせて、おろくはけっけと咳《せき》をした。

「おろろ、なんてもろは……」

言いかけておろくはまたひとしきり咳きこみ、やっと咳がおさまって言い直した。

「男なんてものは、土台そんなにりっぱなもんじゃないんだよ。あんたが考えるほどにはね。そしていまにわかるが……」

おろくはくるりとうしろをむくと、今度は大きなくしゃみをひとつした。それでひとつづきの咳にけりがついたらしく、おろくの声はいつもの太い塩辛声にもどった。

「女だって、そんなにりっぱなもんじゃないのさ」

「……」

「あたしの亭主は腕のいい料理人で、いなせな男だった。あたしはその亭主と知り合ったおかげで、岡場所《おかばしょ》の足が洗えて、しあわせな暮らしに入れた。子供は出来なかったけど、何不自由のない暮らしでね、この店だって……」

おろくはうす暗い店を見回すようなしぐさをした。

「亭主が買って、居酒屋に直したんだ。あたしゃ亭主をずっと有難《ありがた》いと思いつづけて来たのさ。それがあんた、忘れもしないあたしが四十になった年のこと……」

おろくは言葉を切って、菜箸《さいばし》で焼き魚を返した。そしておさよにむき直ると、四十になった年に、急に矢も楯《たて》もたまらず浮気をしたくなったのだと白状した。

「亭主も男だから、あたしと一緒になったあともちょいちょい女遊びをしてたよ。だけどあたしはべつにその仇討《あだう》ちをしようというわけじゃなかったね。亭主に不満はなかった。それなのに、あと十年たてばばあさんになるねと思ったら、無性に浮気したくなって。あの気持は何だろうね」

おろくは呆然《ぼうぜん》と立っていたが、気づいてまた魚の加減を見、焼き上がった魚をはずしたあとにまた新しい魚をのせた。たちまちはげしい脂《あぶら》の音が起こった。

おさよは身体を半分料理場にいれて、つけ木に火を移すと、飯台の上にならべた三つの掛け行燈につぎつぎと灯をいれた。そしておろくを振りむいて聞いた。

「それでおかみさんは、浮気をしたんですか」

「たった一度だけね」

「………」

「思ったほどうれしくはなかったね。それよりはこわかった。亭主に知れたら半殺しにされたかも知れないけど、あのひとは何も知らずに死んじゃったね」

「………」

「ま、そんなもんだからさ。あまりご亭主を責めなさんな」

おさよは灯をいれた小行燈を店の柱に掛けた。店の中が急ににぎやかに、いつもの夜の気配を取りもどしたように見えた。おさよは最後に残った小行燈を持って外に出た。

――あたしは浮気などしない。

と思った。おろくの言うことは承服出来なかった。あたしはあたし、おろくはおろくだと思ったが、女もそんなにりっぱなものじゃないとおろくが言ったことはまだ頭に残っていて、おさよをいくらか不安な気分にした。

おさよは軒下の赤提灯《あかちょうちん》をおろしてつけ木で行燈から火を移し、また軒下につるした。外はすっかりうす暗くなっていた。おすみの姿はまだ見えず、ぼんやり表通りの方を眺《なが》めていたおさよの眼に、近づいて来る男の姿だけが見えた。その男は逃げる間もなくおさよの前に来た。うす笑いをうかべた与次郎だった。

五

「おまえさんが、明日、あさってにはご亭主のそばにもどるというんなら、おれは何にも言わねえよ」

と与次郎は言った。

「おれはそれほどのおせっかいじゃねえ。ただ当分裏店にはもどりたくねえ、亭主の顔なんか見たくもねえと言うんなら、こんな……」

与次郎は料理場の方をちらりと見た。おろくはこちらに背をむけて、小気味よい包丁の音を立てている。根深《ねぶか》を切っているらしく、鼻につんと来る匂いが店の方に流れて来た。

店をあけたばかりなので、客は与次郎一人である。おすみが来たら酌取《しやくと》りを代ってもらおうと思っているのだが、そのおすみはなかなか姿を見せず、仕方なくおさよは与次郎の相手をしていた。酌をしながら、時どき軽い恐怖感にとらえられるのは、大家《おおや》の清兵衛から与次郎の本職は女衒《ぜげん》らしいと聞いたからである。

与次郎は声をひそめて、こんなうす汚ねえ安酒場にくすぶっていることなんかねえぜと言った。そして急に笑顔をむけた。

「深川の花井屋という料理茶屋を知ってるかい。名前ぐらいは聞いたことがあるだろう、門前仲町じゃ五本指に入るでかくて品のいいお店だぜ」

「……………」

「おれ、そこからひとを頼まれてんだ。気だてがよくて姿のいい酌取りはいないかってね」

「それじゃ、あたしなんかは無理ですよ」

とおさよは言って、与次郎に酒をついだ。

「なあに、ぴったりさ」

与次郎は、おさよの警戒心も恐怖も丸ごと包みこむような、やわらかい笑顔を見せた。

「いまだから言うが、おれ、姉貴のところでおまえさんをはじめて見かけたときに、おやと思ったんだ。こいつは上玉だとね」

「上玉だなんて……」

おさよはかっとなって言い返した。そこまで言われて黙ってはいられないと思った。

「あたしを何だと思ってるんですか」

「怒っちゃいけねえよ。ほめてんだから」

与次郎はけろりとした顔で言った。

「このひとは、堅気でおいとくにはもったいねえとね。おっと、おれの言う意味はこうだぜ。堅気のかみさんで裏店《うらだな》にくすぶってて、亭主の働きだけじゃおぼつかねえから、小遣い稼《かせ》ぎに外に働きに出てるようじゃ先が知れてるということさ。そのうち一人二人とガキが出来れば、きれいだった花もそれでおしめえだ」

「………」

「ところがそういうひとが何かの拍子で客商売に入ると、たちまちおめえ、見違える花に変って、いつの間にか女の栄耀《えいよう》というやつをつかんだりするもんさ。そんなのを何人か見たが、あんたがそれだなと、おれ、ぴんと来たんだよ」

与次郎のくどきは甘い毒を帯びはじめた。酔って女衒の本性が出たのかも知れなかった。与次郎は色白で、いくら飲んでも酒が顔に出ないたちだが、色に出ないかわりに顔の皮膚は脂が浮いたように光り、眼《め》のふちが赤くなっている。

その眼をほそめて、与次郎が言った。

「ひと目見ればわかるんだよ」

「………」

「おまえさん、乳が小さいだろ」

与次郎は両手で、胸に乳房の形をつくってみせた。

「こんなもんだ。手のひらに入るぐれえだ。だが形はわるくない。臀《しり》もそんなに大きくはねえ。いったいに骨細で、肌《はだ》はこの前にしらべさせてもらったが、思ったとおりだった。皮がうすくてよくすべる。堅気でおいとくにはもったいねえというのはそこだよ、おさよさん。あんたは、目のある男ならぞくりと来る玄人《くろうと》好みの身体をしてるんだよ」

おさよは、今度こそ恐怖に金縛りになっていた。自分の身体を、素手でなでまわすようなことを言っている男が、この上もなく無気味で叫び出したいほどだったが、蛇《へび》に見込まれた蛙《かえる》のようで、その恐怖を表に出すことも出来なかった。

そのとき店の入口が急ににぎやかになって、おすみと常連の男客三人が、もつれ合うように店に入って来た。おすみがおかみさんおそくなってごめんなさいと言い、少し酒が入っているらしい客は、なに、いいってことよ、すぐ酒持って来いと言った。

「間違えないでくださいね、与次郎さん」

呪縛《じゅばく》を解かれたように、おさよはいそいで言った。

「あたし、喰《く》うに困ってるわけでもないし、あんたに仕事を頼んだおぼえもありませんから」

「もちろん、そうさ」

与次郎はおさよの前にある銚子《ちょうし》をつかむと、手酌《てじゃく》で酒をついだ。やわらかく言った。

「おれはただ、一度ぐれえはひろい世間を見るのもわるくねえだろうと言ってみただけさ。いい男もいれば、存外な金もころがっている世の中というやつをね」

「………」

「だがおまえさんが、ばばあの店を手伝っておまんま喰わしてもらうだけで上等だというんなら、それはそれでよかろうさ。そのうちに、やっぱり亭主のそばにもどるのがいいというんなら、それもまたけっこう。とめだてする筋合いはねえよ」

与次郎はそこで、こぼれるような笑顔になった。そしておさよがこの店にいると気づいてから三日、ひと晩も欠かさずに通いつづけている意味を明かすように、その笑顔のままで毒づいた。

「とは言うものの、植木屋の下職《したしょく》なんてものはてえしたもんじゃなかろうぜ。もったいねえというのはそこのところよ」

六

「さよちゃんとこなんか、いいじゃないのさ。ご亭主は固い仕事だし、子供はいないし……」

嫂《あによめ》のおつねは、硫黄《いおう》が乾いて出来上がった附木《つけぎ》を、枚数をかぞえてたばねながら言った。ひさしぶりにたずねたおさよに、上がれとも言わないので、おさよは仕方なく狭い上がり框《かまち》に足をそろえて横坐《よこずわ》りに腰かけている。

もっとも兄の家の茶の間は、襖《ふすま》にも壁にも附木の材料にする松や檜《ひのき》、さわら、ひばなどが立てかけてあるし、畳の上には正直《しょうじき》と呼ぶ長い台鉋《かんな》、硫黄を溶いてある鍋《なべ》、木っ葉《こっぱ》などが足の踏み場もないほど散らばっている。

その上部屋の隅《すみ》には赤ん坊が眠っているし、上の三人の子供は叔母さんが来たのがめずらしいのか、時どき外から家の中をのぞきに帰って来ては、泥足《どろあし》のままおさよの前を駆け抜けて家の中に走りこむ。たとえ上がれと言われても、茶の間に上がってゆっくり話そうという雰囲気《ふんいき》ではなかった。そしておさよは、金がなくてその子供たちに手みやげも持って来られなかった自分を、かすかにひけ目に感じていた。

「ウチなんかは、ほら、馬喰町《ばくろうちょう》の親方の家から仕事をわけてもらうだけでしょう。自分でおとくいをさがす才覚があるひとじゃないんだから……」

嫂はおさよの兄の悪口を言った。そして半年ぶりに来たというのに、その兄は留守だった。もっとも兄がいたとしても、どんな話が出来たろう。小心な兄は、おさよが家をとび出したことを聞くだけで動顚《どうてん》するに違いない、とおさよは思った。

「ほんと、嫂《ねえ》さんも大変ね」

「そうよ、暮らしはこのとおりなのに、子供ばっかり多くて……」

こら、お待ちとわめいて、嫂は台所から土間に走りおりた子供たちの一人をつかまえた。そして子供がにぎりしめていた長いたくあんを取り上げると、ぴしゃりと頰《ほお》を張った。男のように大きくて肉の厚い手だった。

頰を叩《たた》かれたのは、三人のうちの一番下の男の子で、びっくりするような大きな声で泣き、両手で涙をぬぐいながら家から走り出て行った。いたたまれなくなって、おさよは立ち上がった。

「じゃ、あたしこれで……」

「あら、もう帰るの」

嫂ははじめて仕事の手をやすめた。立ち上がったおさよを見上げると、そらぞらしい口調で言った。

「ゆっくりして、ご飯でもたべて行けばいいのに……」

「いいえ、そうもしていられない。亭主《ていしゅ》が帰る前に家にもどらないと」

「でもさよちゃん、ウチのひとに何か話があったんじゃないの？」

おつねが見抜いたようなことを言ったので、おさよは一瞬どきりとした。だがどうにか顔いろをつくろって、べつに話はない、そこまで来たから寄っただけだと言った。

「兄さんによろしく言って」

硫黄の匂いが立ちこめる家を後にして、路地から常在寺の門前に出ると、子供たちが大勢遊んでいた。兄の子供たちがどこにいるかはわからなかった。

表通りに出て、子供たちの声が遠のくと、また行き場のない孤独感がおさよの胸にあふれて来た。兄の家に来て、これからの身のふりかたがどうにかなると思っていたわけではないが、兄夫婦が何の頼りにもならないことをたしかめたあとは、場合が場合だけに、さすがにわびしかった。

——帰っちゃおうかな。

ふっと二丁目の自分の家のことを思った。帰って帰れないわけではない。信助が喜ぶのは目に見えているし、自分さえいっとき恥をしのべば、あとは万事元の鞘《さや》におさまるのだろうと思ったが、決心はつかなかった。おさよは不確かな悩みをかかえたまま、表通りの人ごみの中に入って行った。

歩いているうちにどんどん暗くなり、おさよがしぐれ町にもどったときは、あたりは日暮れのようになった。兄の家を出てしばらくして七ツ（午後四時）の鐘を聞いたのだから、この暗さは時刻のせいではなく曇り空のためだろうとおさよは思った。頭の上にある厚い雲からいまにも雨が落ちて来そうで、おさよはいそぎ足になった。

その足がとまったのは、居酒屋「おろく」の手前に与次郎の姿を見かけたからである。与次郎は飛ぶような足どりで「おろく」に近づくと、まだ灯《ひ》も出ていない店の中にあっという間に姿を消した。物の怪《け》のようだった。

おさよはくるりと身体《からだ》を回すと、いそいで路地をひき返した。底知れない恐怖に襲われていた。わき目もふらずに前を歩いて行った与次郎がこわかった。あのひとは、どうしてもあたしを深川に連れて行かずにはおかないつもりだとおさよは悟っている。

おまえさんの乳は小さいだろ、だが形はわるくない、臀も大きくはねえと言った与次郎の声が思い出されて、恐怖は倍加した。あのひとはあたしを値踏みして、もうかると踏んだのだ。

いまにも与次郎が追いかけて来そうで、おさよは何度もうしろを振りむいた。ひとが歩いている表通りに出ても、まだあとを振りむかずにはいられなかった。突然に大粒の雨が落ちて来たが、おさよはかえってそれがありがたかった。うつむいたままどんどん歩いた。

おさよが自分の家がある二丁目の路地に入るころには、雨はぱたりとやんだ。おさよは裏店の木戸の外に立ちどまった。そこから、身を隠すようにしながら裏店をのぞいた。さっきの雨で雲が動いたのか、かすかな夕明かりが空から落ちて裏店の家々と路地をうかび上がらせていた。路地には人影がなく、雨に濡《ぬ》れた地面が光っているだけである。そしてまだ灯をいれたところはなくてどの家も暗かったが、そこから物を煮るなつかしい匂《にお》いがただよって来るのにもおさよは気づいた。

うつむいておさよは木戸をくぐった。いそぎ足に自分の家に行こうとしたとき、井戸の陰からむくりと身体を起こした者がいた。

「あら、まあ、おさよちゃん」

と言ったのは、おさよがいまのいままで、あのひととだけは顔を合わせたくないと念じていた後家のおせんである。

おさよは棒立ちになっておせんを見た。おせんも呆然《ぼうぜん》とおさよを見たが、洗い物をしていた指を胸の前に組むと、しおらしい声でごめんねおさよちゃんと言った。

「さぞあたしを憎んだでしょうけど、あれ、ほんとにもののはずみだったのよ。信助さんだって本気じゃなかった。あたしと冗談を言い合っているうちに、つい……」

「やめて」

とおさよは言った。耳をふさぎたかった。だがおせんは、ぜひともこれだけは聞いておくれと言った。

「あたしにも隙《すき》があったのよ。おさよちゃんには言ってないけど、あたしこの秋には嫁に行くの」

相手は六十を過ぎた錺《かざり》職人だった。一人暮らしの裕福な年寄りで、老後を見てもらうかわりに三人の子供もろともおせんを引き取るという話になった。これで暮らしの心配が消えたと思うとおせんはうれしかったが、少しさびしい気もした。もう自慢の乳房で若い男をからかうこともなくなるだろうと思ったのである。その気持が隙だとおせんは言った。

「あんた方のことも心配だったけど、あたしだってつらかった。大家さんには怒られるし、ここのひとたちには白い眼で見られるし……」

突然におせんは手で顔を覆《おお》った。泣き出すのかと思ったら、手をはずしてくすくす笑った。

「あたしゃほんとにバカだ。そのバカに免じてこらえておくれな、おさよちゃん。お願い、もうじきここから出て行くんだからさ」

七

与次郎はその夜のうち、まだおさよと信助の仲直りも済まないうちにやって来た。かみさんに話がある、かみさんとの話が終ってないと与次郎は言った。恐怖でおさよはちぢみ上がった。

「あんた『おろく』の客だな。二、三度見かけたことがある」

と信助が言った。

「しかし女房《にょうぼう》はもう、あそこをやめたんだ。あんたの話を聞く義理はないと思うがね」

「利《き》いたふうな口をききなさんな。おめえに話してんじゃねえや」

土間に突っ立ったまま、顔いろも動かさずに与次郎が言った。与次郎の身体は軽く揺れている。酔っているのだ。信助があぐらを組み直した。

「そいつはどういうことだい。ひとの家に来て、なんてえ言いぐさだい」

「話があるのはかみさんの方で、おめえじゃねえって言ってるんだ」

「おさよ、この男と何か話があるのか」

いいえと言い、おさよははげしく首を振った。信助は険しい顔を男にもどした。

「女房は話すことなんぞないと言ってるぜ」

「横から茶々をいれるんじゃねえよ」

与次郎はつめたい眼で信助を見たが、不意に凶暴な声になった。

「それとも何かい、かみさんにかわってどうしてもおめえが話を聞きてえと言うんなら、そうしてもいいぜ」

「ぜひ、聞きたいね」

「よし、顔を貸しな」

「あんた、やめて」

立ち上がった信助に、おさよはしがみついた。

「大家さんに来てもらいましょうよ。そして話をつけてもらいましょう、ね」

「だめだ」

信助はおさよをひきはなした。

「こいつは話してわかる野郎じゃないよ。いいから家の中でじっとして待ってろ」

信助と与次郎が家を出て行ってから、半刻《はんとき》（一時間）以上もたち、その間に一度雨の音がしたが、信助はもどって来なかった。いたたまれなくなって、おさよは土間に降りた。戸をあけて外に出ると、木戸の方に眼を凝らした。

木戸のあたりには、鋳掛《いかけ》屋の三蔵の家の灯がほそぼそとさしかけているが、動くものは見えなかった。おさよは家の中にひき返そうとした。暗い木戸の奥から、いまにも与次郎がぬっと姿を現わしそうな気がしたのである。おさよが土間に足をもどしたとき、眼の隅にちらと物が動いた。そして三蔵の家の明かりにうかび上がったのは、信助だった。信助はよろめいている。低い叫び声をあげて、おさよは路地にとび出した。

おさよの肩を借りて家の中に入ると、信助は精根つきたように畳の上に仰向けに寝た。着ている物は泥《どろ》だらけで、顔も手も血まみれである。

「心配ねえ。あいつ、刃物は使わなかったんだ」

おさよが泣き声を洩《も》らすと、信助はそう言い、長いうめき声を立てた。おさよはそれで少し気を取り直し、水と貝に入った練りぐすりをはこんで来て手当てにかかった。

「やつも這《は》って帰ったぜ」

傷の手当てをまかせながら、信助が言った。

「植木屋を甘く見やがるから思い知らせてやったんだ。これで、やつも懲《こ》りたろうさ」

言いながら信助は、覆いかぶさって顔に薬を塗っているおさよの懐《ふところ》をさぐると、乳房をつかんだ。その手を振りはらおうとして、おさよはやめた。このひとと末長く添いとげるのだと思いながら、信助のするままにさせた。

おしまいの猫《ねこ》

一

茶漬《ちゃづ》け屋「福助」の畳敷きの上で、駿河屋宗右衛門《するがやそうえもん》は栄之助の盃《さかずき》にお酌《しゃく》を返した。

「おりつさん、また子供が出来たんだって？」

「ええ、そうらしいです」

憮然《ぶぜん》とした顔をうつむけて、栄之助は酒をすすった。

「けっこうなことだ。夫婦円満の証拠だ」

栄之助夫婦の仲人《なこうど》である駿河屋は、祝福するように一度盃をかかげてから、ちびりと酒をふくんだ。

「前のはたしか男の子だったね」

「そうです」

「それじゃ今度は女の子がいいね。ウチはばあさんが男ばっかり四人も産んで、どうも殺風景なものだった」

駿河屋はまた盃を取り上げて、ちびりと酒をなめた。

「福助」は、暑いから家にいても仕方ないと思う手合いが寄るのか、団扇《うちわ》片手の涼みがてらの男たちでにぎわっていた。そして日が落ちてもまだ町を焦《こ》がしていた暑熱も、五ツ半（午後九時）を過ぎるとようやくおさまって、窓から入る風はよほど涼しくなっている。

もっとも、「福助」のおかみおりきの酌でしこたま酔ってしまった男たちは、もはや涼みに出たことなどは忘れてしまって、蛸《たこ》のような手を打ち振って高声に笑ったり口論したりしていた。

「倅《せがれ》に嫁が来て……」

と駿河屋は言った。駿河屋は隣町の糸問屋である。

「今度こそ女の子が生まれるだろうと思ったら、これがダメで、生まれたのは二人とも男の子です」

「あ、そうでしたか」

「そうです。どうも駿河屋には女の子がさずからないらしい」

駿河屋はそこで盃を手もとに引き寄せると、栄之助の顔をじっと見た。

「ところで、お話というのは何ですか」

栄之助は今夜、というよりも四半刻《しはんとき》(三十分)ほど前に、一丁目の路上でばったりと駿河屋に出会った。駿河屋は二丁目の糸屋梅田屋に用があり、ついでに栄之助の家にも寄ってその帰り道だと言った。

それを聞いて、栄之助はとっさに用を思いつき、おねがいごとがあるからと道を引き返して駿河屋を「福助」に連れこんだのである。

「ええ、じつは……」

栄之助も姿勢をただした。

「ざっくばらんにおねがいごとを先に言ってしまいますと、お金を拝借したいんです」

「いくら?」

「五十両です。もちろん担保はさし出します」

ふむと駿河屋はうなずいた。

「五十両は大金ですがね、何に使いなさる」

「それがです」

と栄之助は言った。

半年ほど前に、栄之助は父親に呼ばれ、おまえのやりいいように商売をやってみたらどうだ、と言われた。はっきり隠居するという話ではなかったが、店は栄之助にまかせて様子をみるといった言い方だった。

親たちは、嫁がもどって来て一応夫婦仲が落ちつき、栄之助も商いに身を入れはじめたこの時期を潮どきとみて、栄之助に二代目の覚悟をもたせようとしたようでもあった。そして親たちのその眼《め》はまんざら見当違いでもなく、女房《にようぼう》とひとの妾《めかけ》のおもんの間をふらふらと行き来しながらも、栄之助は近ごろとみに商いに興味が深まるのを感じていたのである。

親にそう言われて店の中を見回してみると、栄之助にはいくつかの不満が出て来た。一概に小間物といっても、むろんはやりすたりがある。たとえば櫛《くし》、笄《こうがい》、簪《かんざし》。女はその形はすたれたとみれば見向きもしない。比較的はやりすたりの波をかぶることが少ない男ものの紙入れや煙草《たばこ》入れにしても、ほかの店をのぞいてみるとやはり意匠、形ともに少しずつ変っている。

「こういうものをいっぺん見直しましてね、売れる物をそろえなきゃだめだと思ったんです。で、当然ですが売れない物は切る。たとえば根付《ねつけ》なんてものは、何年も前に仕入れたものが埃《ほこり》をかぶってそのままあるわけですよ。ウチは大体が女客で、男客はほとんど店には来ませんからね」

「ふむ、そういうものかね。それで？」

まずこの先一年がかり、二年がかりで仕入れ先を改めたいのだと栄之助は言った。古いつき合いでも品悪《しなあ》しのところ、売れないところは切る。そのかわり品物の質がよく、はやりすたりにもちゃんと眼がとどいているところは仕入れをふやし、ほかにもっと売れる物をつくっているところがあれば、ほかの店と競ってでも品物をこっちにひっぱる。

その上で、行く行くは小僧を二人ばかりふやして、回り先をいまの三割程度はふやしたい。

「これ、みんなお金がかかるんです」

と栄之助は言った。

「もちろん、いっぺんにはとても出来ませんから、手のつけやすいところからぼつぼつすすめているところですが、ある程度の見通しがついたら思い切って店の模様変えをやりたいと思いましてね」

「うむ、それも大事だろうね。あんたのところの店は狭くて暗いからね」

「そうです。商いの半分以上はとくい先回りといっても、けっこう店の客もあるもので」

「五十両というのは、そのお金ですか」

「そうです。商いの様子を見ながらやることですから、いますぐじゃなくて多分半年先ぐらいのことになるんですが、そのときにおねがい出来ませんでしょうか」

「ずいぶん気のはやい申し込みだね」

「ええ、でもそのころに貸していただけるとなれば、いま目の前の商いもぐっとやりやすくなりますもので」

はっはと駿河屋は笑った。機嫌《きげん》のいい笑い声だった。駿河屋は栄之助がついだ酒をひと息に飲みほした。

「栄之助さん、あんたはなかなかの商人《あきんど》ですな。いや、頼もしいと言っているのです。いいですよ、その五十両はそのときが来たら言ってください。用立てましょう」

「ありがとうございます」

「春ごろですかな、徳右衛門町のうさぎ屋が、あんたに腕のいい櫛挽《くしひ》きを一人引き抜かれたとこぼしていたそうですが、なに、商いはそれでいいのです。引き抜かれる方に油断があるんだ」

駿河屋はもう一度愉快そうな笑い声を上げたが、不意にその笑顔をひっこめると、栄之助の顔をじっと見た。

「ところでこれはうわさに聞いた話ですがね。あんた、泥棒《どろぼう》に間違えられて島七の手下につかまったことがありますか、それも例の香具師《やし》のお妾の家で。まさか二人の子も出来て、まだそんな火遊びをつづけているんじゃないでしょうね」

二

最後にひやりとさせられたが、首尾よく借金の約束を取りつけた栄之助は、酒代をはらって駿河屋宗右衛門とわかれた。気持のいい酔いが身体《からだ》に残っていた。

――なかなかの商人《あきんど》か。

栄之助はにやにや笑った。いえ、それほどでもありませんよと胸の中でつぶやいてみたものの、大店《おおだな》の駿河屋にそう言われてみると、自分がにわかに抜け目ない、やり手の商人になったような気がしないでもなかった。

それに、半年先に駿河屋から借金が出来るとわかっていれば、いま手もとにある金は心配せずに目をかけている仕入れ先のテコ入れに回してかまわないのだ。駿河屋の顔を見て、とっさに思いついた借金話がこううまくまとまるとはと、栄之助は笑いがとまらない。

さっきは気づかなかったのに、空にびっくりするほど明るい月が出ていた。外に出て涼んでいたひとたちも家の中に入ったとみえ、月はどこまで行っても無人の町を照らしていた。

その月の光もおよばない家の闇《やみ》の中で、人びとはもう眠りについているかも知れなかったが、栄之助はまだ眠くはなかった。気分よく足をはこんで一丁目から二丁目にさしかかった。そして境い目の水路を過ぎたところでふと立ちどまったのは、水路わきの道を白っぽい物がすばやく横切ったような気がしたからである。

栄之助は引き返した。水ぎわに草が生い茂る小道がずっと先まで見通せて、草の間には、小さな音を立てて流れる水が月の光をくだいているのも見えたが、ほかに動くものはいなかった。

——猫《ねこ》か。

と思った。野良《のら》猫が小道を横切って二丁目の家の裏に駆けこんだのだろう。そう思ったとき、猫は容易におもんの家の三毛猫の連想を誘い出し、必然的にいろっぽいおもんの顔まで思い出させた。ふむ、とうなって栄之助は腕組みをした。

このところ栄之助は、女房のおりつと縒《より》がもどったようなぐあいになっていた。腹に二人目の子供が宿ったとわかったころ、おりつの方から身を寄せる気配を見せたのが和解のきっかけだったと思う。そうなると栄之助も、いますぐにおもんと切れるつもりはなくとも、なるべく家の中に波風を立てたくないという気持になる。おもんとの逢引《あいび》きをこころもちひかえた。曲りなりにも女房との縒がもどってみると、実際問題として色女の方まではそうそう手が回りかねるという事情もあった。

ところがそういうことは、何も言わなくとも女の勘にはぴんと来るものらしく、昨日の昼に、奉公人が飯を喰《く》っている間に栄之助が一人で店番をしていると、店の前をすました顔のおもんが通りすぎた。ぎょっとして見張っていると、はたしてじきにもどって来たおもんは、店の中にいる栄之助を見るとにっこり笑いかけて通りすぎて行ったのである。そろそろ来てくれないと、いろいろ面倒が起きますからねという脅しに見えた。

ちきしょうめ、脅しなんぞかけやがってと、そのときはのぼせ上がるほどに怒ったのに、いまは通りかかったついでだから、ちょっとおもんに寄ってみようかと栄之助は思っている。明るい月の光と気持のいい酔い心地《ごこち》のせいにちがいなかった。

——ちょっと顔を出すだけだ。

と栄之助は思った。おもんの身体は豊満すぎて、暑いときはそばに寄られると少々うっとうしい。顔をみせて手でもにぎってやれば、数日はそれでもつだろうと、栄之助はすっかり色男気取りで水路に沿う道を歩いて行った。

足音をしのばせて、栄之助はおもんの家の生垣《いけがき》の内に入った。と、おもんの家は灯《ひ》が消えている。真暗だった。

――……？

寝たかな、と思った。時刻はたしかに四ツ（午後十時）近いから寝ても不思議はないが、おもんは宵《よい》っぱりな女である。灯を消して寝るにははやい気がした。

それとも用があって外に出ているのか、とも思ってみたが、いずれにしてもせっかくの思いつきが出鼻をくじかれたようで、栄之助はおもしろくなかった。月の光に不機嫌な顔をさらして背をむけたとき、べつの考えがうかんで来て栄之助はぎょっと足をとめた。

――旦那《だんな》が来てるんじゃないのか。

栄之助は身体を回して、灯が消えているおもんの家を眺《なが》めた。そういう眼で見ると、おもんの家をつつんでいる静けさと暗さは、中に二人の男女が籠《こも》っているせいに見えて来るようでもあった。

栄之助の胸に新しい感情が生まれた。恐怖ではなく嫉妬《しっと》だった。ついさっきまで、おもんを少しうっとうしく思っていたことはすっかり忘れて、栄之助はたったいまおもんの白い身体をひとり占めしているかも知れない旦那に、強い嫉妬を感じながら立っていた。

三

「ねえ、長くかかるんですか」

と言ったおりつの声が、甘ったるく鼻にかかっている。栄之助はぞっとした。色女のところに出かけるときぐらいは、そばに寄ってもらいたくないと思ったのだが、はたしておりつは栄之助が帯を結ぶのに手を出して来た。おりつはこのごろ、やたらに亭主《ていしゅ》にさわりたがる。

縒がもどった当座、何か物めずらしい気持も手伝って、いっときおりつと仲よくしたのは事実だが、栄之助は近ごろ、孕《はら》み女房とそういつまでいちゃついていても仕方がないと興ざめすることがある。だがおりつはそうではないらしく、相変らずべたべたしていた。なにやら夫婦仲のおもしろさに目ざめたというふうでもあるのだ。

「重助との話次第だ」

と栄之助は言った。

「話がはやく済めば、すぐに帰ります」

「何の話ですか。重助さん、この間もお店に来てたじゃありませんか」

「仕入れの話だよ。重助をウチの抱え職人にするんだ。いっぺんには話は決まりませんよ」

栄之助は逃げるように部屋を出たが、おりつは玄関まで送って来た。そして栄之助の背に、新婚のころにもどったような甘い声で、はやく帰ってねと呼びかけるので、栄之助は鳥肌《とりはだ》立った。

——やれ、やれ。

外に出て、栄之助はひと息ついた。色女の脅しも神経にこたえるが、女房の甘ったれは胃ノ腑《ふ》にもたれると思った。

今夜も月が出ていて、光は昨夜にも増して明るい。その月明かりに、はやくも秋の気配があるのを栄之助は感じる。実際に通りにはいくらか風が吹いていて、夜気はかなり涼しくなっていた。それでも月に誘われてか、家々の軒下に出ている縁台には、ちらほらと涼むひとの姿が見えた。

月が明るいと言っても、夜目にはどこの誰《だれ》と容易には見わけがたい。それでも栄之助は涼むひとがいる場所は、うつむいていそぎ足に通りすぎた。この前島七の手下につかまったときは、注文の櫛を持って来たと強弁してのがれ、ひとに聞かれればとんだ災難だったと愚痴ってみせた。むろんおもんの家で、その夜ほんとは何があったのかは、駿河屋も言っていたように世間はお見通しなのだが、表向きは一応それで通る。そうじゃないでしょう、ほんとの話はこうじゃないですかと言う者はいない。

——しかし……。

今度おもんの家のあたりをうろついているところをひとに見られたら、言いわけはちとむつかしかろうと栄之助は思っている。水路に出て左の小道に曲るとき、栄之助は盗《ぬす》っ人《と》そこのけの鋭い眼を前後にくばった。そしていったん小道に曲ってからは、一度も振りむかずにいっさんにおもんの家にいそいだ。

生垣を曲り、玄関に入った。むろん灯がともっていて、ゆうべの今夜だから旦那が来ているはずはない。玄関の戸をうしろ手にしめながら、栄之助はおもんの名前を呼んだ。

「ゆうべは旦那が来てたんだろ。こっちにはちゃんと……」

履物をぬぎ、眼の前の障子をあけたところで、栄之助は棒立ちになった。一瞬頭の中が真白になった。つぎに身体に顫《ふる》えが来た。どうしようもなく足が顫え、手が顫える。

眼の前に、来ているはずのない旦那がいた。もっとも栄之助はその男をはじめて見るのだが、ご馳走《ちそう》を盛ったお膳《ぜん》を前に、おもんの酌で酒を飲んでいる男が、旦那以外の誰であろうはずがない。

おもんの旦那は五十過ぎに見え、背は低いが、岩のようにがっしりした身体つきの男だった。髪は真白で眼は鋭く、顔は漁師のように日焼けしている。顫えている栄之助を見ながら、旦那はにたにた笑った。

「まあ、こっちに入んなさい」

と旦那は言ったが、その声も漁師のようにしゃがれている。栄之助は旦那の前に坐《すわ》った。

「あんたが小間物屋の若旦那ですかい」

「ええ、その、今夜はご注文を承りに……」

「やめなさいよ、若旦那。もうばれちゃってんだから、恰好《かっこう》つけても仕方ないわよ」

とおもんが言い、旦那に酒をついだ。そのとおりだと旦那が言った。

「むだなことはおよしになった方がいい」

「すみません。どうぞご勘弁ください」

栄之助が畳に額をすりつけると、頭の上で旦那があざ笑った。

「いたずらが見つかった子供じゃあるめえし、すみませんだけじゃすむまいよ」

「じゃ、どうお詫《わ》びしたらいいんですか」

それをあたしも考えたと、旦那は言った。

「重ねておいて四つという手もあるが……」

おもんの旦那は無気味なことを言ってから、栄之助を見てまたにたにた笑った。

「あたしは根付彫りの職人で、あんたは小間物屋の若旦那。あたしの品物をあんたが売るというのはどうかね」

「根付ですか」

「そう、根付だよ。月に五つ回して年に六十か。そいつを世間並みより少々高値で、即金で買い取ってもらう。そんなところかね」

「……」

「いやとは言わせませんぜ、若旦那」

おもんの旦那が笑いをひっこめ、大体お前さんに、いやという資格なんぞありゃすまいとすごんだとき、部屋に猫が入って来た。猫はしばらく旦那と栄之助を見くらべたが、みゃーおと鳴いて旦那の膝《ひざ》に乗った。

秋色しぐれ町

一

萌黄《もえぎ》いろの前垂れをしめ、赤い襷《たすき》できりりと袖《そで》をしぼった小女《こおんな》が、もっぱら酒をはこぶ役目で部屋を出入りしているのに、油屋の政右衛門《まさえもん》ははやくから気づいていた。

その小女の姿が眼《め》についたのは、空いた銚子《ちょうし》をさげ、かわりにお燗《かん》のついた酒をはこんで来る立ち居が、気持がいいほど甲斐甲斐《かいがい》しく見えたからである。もうひとつ、小女にしてもあまりに小柄《こがら》で、まるで子供のように見えるその娘に、政右衛門は何となく見おぼえがあるような気がしているのだが、しかし、政右衛門は、その娘をそんなに注意してじっくりと見ていたわけでもなかった。

料理茶屋菊本の、十五、六畳もありそうなその部屋には、本所、深川の油屋と仲買二十人ほどがあつまっていた。春秋の年二回顔をあわせる、ごく内輪な仲間の寄り合いで、たとえば春の寄り合いなら菜種《なたね》や胡麻《ごま》の作付の状況、その年の下《くだ》り油の相場といったものが話題になるにしても、大方はこの中の誰《だれ》かが、突然に商いの品の値を崩して同業に迷惑をかけたりしないよう、ふだんから懇親を深めておくといったところに狙《ねら》いがあるあつまりだった。

とは言っても、同業者は仲間であると同時に商いの上の敵でもある。聞きのがし出来ないような商売上の話が、酔った口からぽろりと洩《も》れることもあり、そっちにも聞き耳を立てなければならないし、踊りが終って酌《しゃく》をしに来た年増《としま》芸者の踊りもほめなければならない。

その上、隣の席にいる仲買の金蔵のおしゃべりにもつき合ってやらねばならないので、政右衛門も少しぐらい気になるからといって、そういつまでも小女の姿を眺《なが》めてはいられなかった。ただ、ひょいと顔を上げると、お盆に銚子をのせたその小女がきびきびと部屋を出て行くところだったり、正面の席が三味線でにぎやかになったので顔をむけると、例の小女が膝《ひざ》をついて酒をくばっているのが見えたりするだけである。

だが、それだけしか見ていないのに、何となく気持にひっかかって来るものがある。甲斐甲斐しい身ごなしに見おぼえがあるような気がする。

——はて、誰だったろう。

政右衛門が、眼でその小女をさがそうとしたとき、また金蔵の声がじゃまをした。

よ」
「旦那《だんな》、菜種を干すといっても、筵《むしろ》にただひろげておけばいいってもんじゃないです

　菜種は取り入れると庭の筵にひろげて日干しにする。晴天の日なら一日でよいと言われる。

「万遍なく日があたるように、人手をかけてやらなきゃいけません。あれで搾《しぼ》ったときに油の出が違って来ますからね。あたしゃいつもそれを言ってやるんですが、なかなか言うことを聞きませんのですよ。面倒だというんです」

「いそがしいからでしょうよ」

「だって、そのぐらいのことはばあちゃんにでも出来ることでしょ。歎《なげ》かわしい。それに鍋《なべ》で炒《い》るとき、こがしちゃいけないんです。あたしゃ口を酸っぱくして言うんです、むらが出ないようにもうちっと気を遣えって……」

　金蔵の言っている話は、以前仲買をしたことがある政右衛門には先刻承知の話である。だが、政右衛門の店とは取引きがなく、住居も深川にある金蔵はそのことを知らないので、倦《あ》きもせず油搾りの仕事の話をしている。いまさら、あたしもむかしは仲買で、下り油を扱うだけでなくずいぶん近在の村も回ったものですとも言えず、政右衛門は困った。

　その金蔵のおしゃべりから解放されて、菊本を出たのは七ツ（午後四時）を少し回ったころだった。政右衛門は小泉町の油屋小鹿屋喜八と連れ立って、馬場通りに出た。永代寺門前の町々を西から東に横切るこの通りは、日暮れ近くなっても通行人の数は少しも減っていなかった。

「これからどうします？」

　政右衛門を振りむいた喜八が言った。むろんどこかで飲み直さないかと誘っているのである。喜八は四十半ばで、気性のさっぱりした商人である。政右衛門とは気が合って、もっと若かったころには、何度か遊所で一緒にあそんだことがある。

「まさか、まっすぐご帰館というわけでもないでしょう」

「さあてね」

「なんか、気乗りしない返事じゃないですか」

　政右衛門はにが笑いした。

「齢《とし》だよ、小鹿屋さん」

「へえ、ついこないだまで黒江町から舟を出して、まっすぐ吉原に乗りこんだひとがそんなことを言いますかね」

　喜八はからかったが、すぐにまじめな顔にもどって、無理には誘いませんよと言った。そう言われると政右衛門にも未練が出た。

「かと言って、このまま店にもどるのも味気ない」

「そらごらんなさい」

喜八は頤《おとがい》のほそい顔にうす笑いをうかべた。

「じゃ、この近くで軽く一杯というのはいかがですか」

「女気抜きでね」

「ええ、女気抜きでいいですよ」

喜八はうなずいた。

「新石場《しんいしば》にうまい魚を喰《く》わせる小料理屋が出来たんですがね。そこへ行きましょうか。

そこで芸者を一人呼んで飲み直す」

いくら女気抜きと言っても、男二人だけじゃやっぱり恰好《かっこう》がつきません、色どりに芸者を呼びましょうやと喜八が言ったとき、政右衛門は前方から、さっき菊本で見た例の小女が歩いて来るのを見た。

小女はどこかに使いに行って来たとみえて、胸高に風呂敷《ふろしき》包みをかかえていた。逆光で顔はよく見えないがきびきびした足どり、頭でっかちの小柄な身体《からだ》は間違いなくさっきの娘だった。と、急に足どりがのろくなって、娘はそっと道ばたの店に寄って行く。

そこははぎれ屋の店先で、店の中にさがっている色うつくしいはぎれでものぞくつもりかと思った政右衛門の見当ははずれた。小女は、店の日よけのれんにとまっている赤とんぼをつかまえるつもりのようである。だが、指がのびる前にとんぼはついと空に逃げた。残念そうにそれをふり仰いだ顔が少女だった。政右衛門の眼が、少女の眼と合った。

「おや、おきちじゃないか」

と政右衛門は言った。そして、これはおどろいたとつぶやいた。

おきちは女衒《ぜげん》の安蔵の手で、これから喜八と行くことになった新石場にある女郎屋、小松屋に売られたはずである。それに、まだそれを結う齢にはなっていないはずなのに、この島田髷《まげ》はどうしたこととか。

「あんたは小松屋にいたんじゃなかったかね」

「はい。でも、菊本の旦那さまが自分のお店で働かないかと言ってくれて」

「ふうん、それはいつのことだね」

「今年の春です」

多分小松屋に遊びに行ったかどうかして、おきちの働きぶりに眼をつけて引き抜いたに違いない。菊本の旦那は、どうやらひとを見る目のある人物らしいなと、政右衛門は思った。

「それで、いまは菊本で働いているわけだ」

「はい」

「仕事はつらいかね」

「いいえ、前のお店よりずっと楽です」

「それはよかった。大体いつまでも新石場にいて、女郎にでもされたら大変だからな」

政右衛門はおきちの顔をじっと見た。

「あれから一度ぐらいはしぐれ町に帰ってみたかい」

「いいえ」

「どうして？　たまには半日の休みぐらいはもらえるのじゃないかね」

「でも、帰ると里ごころがつきますから」

政右衛門はにが笑いした。へえ、里ごころねえと思った。多分大人がそんな話をしているのを、どこかで聞きかじったのだろう。

政右衛門は懐《ふところ》から羅紗《らしゃ》の紙入れを出し、中からつまみ出した二朱金をひとつ鼻紙につつんだ。そしておきちの小さな手をつかまえると、その手のひらの中に押しこんだ。

「おなかがすいたとき、これで何か買ってお喰《た》べ」

「いいえ、油屋の旦那さん。そんなにたくさんのお金はいただけません」

おきちは尻込《しりご》みをし、手の中のおひねりを返そうとした。かしこい娘は、政右衛門が金をつつむところをちゃんと見ていたようである。いいんだよ、と政右衛門はおきちの手をやわらかく押しもどした。

「使うときがなかったら、溜《た》めておけばよい。お金はいくら溜まってもわるいことはないものです」

「……」

おきちはうなずいた。そしてはっきりした声で、ではいただきます、ありがとうございましたと言った。

「たまには町に帰って、おけいの顔を見てやんなさいよ」

裏店《うらだな》に残っているおきちの妹の名前を思い出して、政右衛門はそう言い、手を振ってわかれようとした。するとおきちの顔が急にゆがんで、あっという間に眼に涙が溢《あふ》れ出て来た。おきちは顔を覆《おお》うと背をむけ、そのまま走り去った。

「おや、泣かせちゃったかね」

政右衛門がつぶやいていると、そばに寄って来た喜八が、そろそろ行きましょうかと言った。二人は一ノ鳥居の方にむかって歩き出した。真赤な日が江戸の町を染め、一ノ鳥居はその中に黒くそびえ立っている。

「お知り合いですか」

と喜八が言った。二人のやりとりを興味深く眺めていた様子でもあった。

「すぐそばの裏店にいた娘ですよ。いまは菊本で働いているそうです」

「あの齢で？　けなげな娘ですな」

喜八は感嘆した。

「それに、なかなかかわいらしい子だ」

「ええ、まあ……」

政右衛門は口をにごした。おきちがけなげなことに間違いはないが、かわいらしいかどうかは疑問だった。

「あの子はね」

と政右衛門は言った。

「自分で金を借りて来て、死んだ親が残した借金をきれいに払ったんです。そして自分の借金を払うために、今度は女郎屋に身売りしたのですよ。全部自分の才覚でしたことです」

「これはおどろいた」

そう言ったが、喜八の反応《はんのう》は政右衛門の期待したものとは微妙に喰い違った。

「いまどきめずらしい、孝行娘ですな」

「ええ、孝行娘にはちがいありませんがね、しかし……」

と言ったが、政右衛門はそこで黙りこんだ。釈然としない胸の内を、事情を知らない喜八に説明しても、はたしてわかってもらえるかどうかは疑問だと思ったのである。

――それに……。

利口だ何だといっても、おきちはほんの少しこましゃくれているだけのただの子供なのかも知れないという気持もあった。幼いおけいの名前を出したとたんに、眼を赤くして走り去ったおきちのうしろ姿を思い出している。

気丈なように見えても、やっぱり子供なのだ。どうやら子供にむかって心ないことを言ってしまったらしいと思ったが、そう思ったことで胸にほっとした気分が生まれたのも否《いな》めなかった。政右衛門は喜八を見てうなずいた。

「やっぱり子供なんだ、うん」

「さっきの娘のことですか」

喜八は言い、遠慮なく笑った。

「あたしにもそう見えましたがね。それともほんとは大人なんですか」

大人二人は笑い声を上げ、火ノ見櫓《やぐら》の下を通り過ぎ、やがて一ノ鳥居の手前を左側のたたみ横町に曲った。

二

自身番の前を、番人の善六が掃いている音が聞こえる。時どきは善六の影が表の障子にうつるのも見えた。夏とはちがい、長い影である。だが影は一瞬障子を横切って、すぐに消える。そして障子にははかないほどに白い日射《ひざ》しが残った。竹箒《たけぼうき》の音だけが、とぎれずにつづいている。

風の加減か、自身番の前にはよその落葉まであつまって来る。もっとも、いまは風は吹いていなかった。

「さあ、お茶をいっぱいどうですか」

大家《おおや》の清兵衛は、新しくいれたお茶を盆に乗せて、書きものをしている万平の机のそばに押してやった。

「あまり根《こん》をつめずに、休み休み仕事をしてくださいよ」

「ありがとうございます」

と言って、書役《かきやく》の万平は筆を置いた。そして膝を崩して盆の茶碗《ちゃわん》をつかんだ。

「こないだのように休んで、町に迷惑をかけてはいけませんから、あたしも身体には気を遣っているのですが、仕事がたまるとつい無理をしてしまいますなあ」

「それで、足の方はその後大丈夫ですか」

「まあ、いまのところは」

と万平は言って、崩した膝のあたりをさすった。十日ばかり前に、万平は膝が痛んで坐《すわ》れなくなり、自身番の勤めを休んだのである。

「ここ四、五日はあたたかいから大丈夫のようです。あたしの足は寒さに弱いのですよ。覿面《てきめん》に痛くなります」

「せいぜい足をひやさないようにしないと」

「はい、来春にはあたしもやめさせていただきますから、この冬いっぱいもてばいいわけですけれども」

「おや、来春にやめるなどといつ決まりました?」

「あたしが決めたんです。ばあさんにもきつく言われましてね。ぜひ、丸藤《まるふじ》さんにたのんでみてください」

「わかりました。その話はまたあとで、喜左衛門さんをまじえて話し合いましょう」

清兵衛は自分の茶碗にも熱く濃い茶をそそぎ、ゆっくりとすすった。そして話題を変えた。

「善六が言ってましたが、こないだあたしが帰ったあとで、政右衛門さんがみえたようですね」

「ええ、おそかったですよ、五ツ半（午後九時）近かったじゃないですかな。深川で同業のあつまりがあったとかで、めずらしく酔ってました」

「すると、べつに用というわけじゃなくて……」

「はい、用じゃなかったんですが、ほら、あの熊平の娘、おきちに会ったと言ってましたよ」

「ほう、ほう。すると政右衛門さんは新石場に行ったんだ。元気なものだ」

「それがそうじゃなくて」

と万平は言った。

「おきちは門前仲町の料理茶屋、菊本で働いていたそうですよ」

「ほほう、すると新石場の女郎屋からうまく足が抜けたか」

「菊本の主人に見込まれて、勤め替えさせてもらったらしいと政右衛門さんは言っていましたがね」

「そうだろ、そうだろ」

清兵衛は自然に顔がほころぶのを感じた。

「あの子はそうして、自分で自分の運勢を切りひらいて行く子ですよ。心配ない。重助なんかとは雲泥《うんでい》の差だな」

「重助がどうかしましたか」

「いや、ああして男やもめで不自由しているから、後をもらえとこのあいだもすすめたのだが、これのふん切りがわるいのにはあきれましたよ」

「うんと言わないのですか」

「おはつが帰って来たらかわいそうだと言うんだ。そういう甘い人間だから、かみさんにも逃げられたんでしょうよ」

「男と女のことは、とてもひと筋縄《すじなわ》じゃいきません」

万平は膝をさすりながら、しかつめらしく言った。清兵衛はふ、ふと笑った。

「小間物屋の栄之助のことを言ってるのじゃないでしょうね」

「いえ、あたしはべつの話をしようと思ったのですが、あの若旦那がまた何かやりましたか」

「おもんの旦那に見つかった話は聞きましたか」

「いいえ、初耳です。それは大変だったでしょうな」

「その話はあとでゆっくり聞かせます。あなたのお話は何ですか」

「三丁目の一膳《いちぜん》めし屋のおまつが、子を孕《はら》んだそうですよ」

「まさか」

と清兵衛は言ったが、万平の顔を見て言い直した。

「その物好きな相手は誰です？」

「それがわからないから大さわぎですよ」

「ふうむ、男女のことはひと筋縄じゃいきませんな。それと島七が追っている泥棒《どろぼう》もね」

三

その男は、清兵衛がそう言った日の夜、二丁目の草履問屋の横に蹲《うずくま》っていた。月もない夜なので、藍《あい》無地の腹掛け、半天、パッチという衣装に身をつつんだ男の姿は、山口屋の黒板塀《くろいたべい》にまぎれて、そこにひとがいるとは見えなかった。

男はその上、やはり藍無地の布で頬《ほお》かむりをしていた。そして半天をしばっている紐《ひも》は表は白で裏は紺というしろものだった。いまは裏が表に出ている。こんな恰好《かっこう》をしたただの人間が、夜中にひとの家の横に蹲っているわけはなく、男は言わずと知れた泥棒だった。そしてこの男こそ、一昨年《おととし》あたりから本所、深川の町々に出没し、岡《おか》っ引《ぴき》の島七がやっきになって追いかけている夜盗である。

男は伏せていた顔を上げた。むろん男は、漫然とそうして盗みに入る時をうかがっているわけではなく、その恰好のまま全身で町の気配を感じ取ろうとしていたのである。四肢《しし》には危険にそなえて、いつでも走り出せるように力を溜めていた。

顔を上げたのは、どこかでかすかな足音がしたように思ったからだが、それは間もなく、誰《だれ》かが表通りを男がいる路地の方にむかって歩いて来るのだとわかった。提灯《ちょうちん》の灯《ひ》は見えなかった。男は耳をそばだて、眼《め》をみはって何者かが表通りを通りすぎるのを待った。

と、雪駄《せった》の足音はいきなり路地に入って来た。男はすばやく立ち上がると、道に背をむけて塀に身体《からだ》を貼《は》りつけた。顔だけは足音の主の方にむけている。

男の首筋の毛が、恐怖で逆立った。逃げないで塀に貼りついたのは、足音の主が提灯を持っていないことを計算にいれたとっさの判断である。だが直後に頭にひらめいたのは、まずいことをしたかなという後悔の念だった。この種の後悔ほどおそろしいものはない。男はいまにも、足音の主に首筋をつかまれそうな恐怖に襲われている。だが足音は男がいる三間ほど手前で立ちどまった。そして小間物屋の横手の格子戸《こうしど》が軽い音を立ててあいた。つづいて闇《やみ》の中にさるを落すかわいた音がひびいた。

「おりつ、おりつ」

帰って来た男が女の名前を呼んでいる。すると、待っていたように家の中に灯のいろが動き、その灯影《ほかげ》は戸があくと外までこぼれて出た。

「おそかったじゃありませんか」

変に甘ったるい女の声がそう言った。

「まあ、いやね。こんなに酔っぱらっちゃって」

そして男が女の腕に倒れかかりでもしたような、どたばたと重い物音がしたと思うと、戸がしまって灯のいろが消え、あとはしんとなった。

──けっ、見せつけやがって。

泥棒は舌打ちをして姿勢を楽にした。さっきのように塀下に蹲った。この男はまだ若くてひとり身だった。そしてさっき帰って来た男が小間物屋の若旦那《わかだんな》で、おりつというのはその女房《にょうぼう》であることを知っていた。若い夫婦がいちゃついているのをみると腹が立つ。

だが腹が立つのはそれだけではなかった。男は、なかなかきれいな顔をした小間物屋の若女房の腹がふくらんでいるのを知っていた。間もなく子供が生まれるのだ。だが若旦那の方にはおもんという色女がいることも知っていた。いい加減なもんだと思う。だから、おもんの家をたずねた若旦那が、自分に間違えられて島七の手下に組み伏せられたという話を聞いたときは大笑いした。

ざまあみろ、と思った。男の胸の底には、つねに世の中に対する暗い憤懣《ふんまん》の気持が息づいている。

小間物屋の若夫婦のことだけでなく、男はこの町のことなら大ていの話は耳にしていた。櫛挽《くしひ》き職人の重助の女房が駆け落ちしたことも、油屋の主人が太り過ぎを気にして朝の散歩に精出していることも、桶芳《おけよし》の親方が浅草の女にだまされたことも。そして女衒《ぜげん》の与次郎と植木職の信助が血だらけのなぐり合いをし、今夜いまからしのびこむ山口屋の旦那は女房の尻《しり》にしかれ、岡っ引の島七は自分をつけ回していることもよく知っていた。

島七にしっぽをつかまれたことは一度もないが、男は島七と手下を決して甘くはみていない。盗みをはたらくときだけでなく、ひまを見つけてはふだん彼らがどう動いているかを観察していた。それで男は、島七の顔だけでなく手下の顔も残らずおぼえている。

男が今日、昼の食休みに町をひと回りしたときに見かけた島七の手下は三人である。これはいい徴候とは言えなかった。島七の手下がしぐれ町を見回っているといっても、ふだんは一人か二人である。ほかの町を見回っているのか、しぐれ町には一人も姿を見せないという日もある。それが今日は三人もいた。これまでにないことである。そのことは男をちょっぴり不安にした。

男はここ三月ばかり、ずっと草履問屋の山口屋に狙《ねら》いをさだめ、表から見、裏から見、昼に見、夜に見て、戸の開けしめからひとの出入りまで観察して来た。そしていよいよ今夜しのびこむと決めたのだが、山口屋を襲ったあとは、河岸《かし》を思い切って深川の南の町に変えるつもりでいた。いわば山口屋の盗みは、このかいわいでの男の最後の仕事になるのである。

島七の手下が三人も町に入りこんでいるのをみて、男がちょっぴりいやな気分になったのは、自分のそういう心づもりをどういう加減か島七が嗅《か》ぎつけて、網を張る気でいるのではないかという気がしたからである。

むろん、そんなことはあり得ないと考えてもよかった。男を泥棒だと見破った者は、一人もいないはずである。まして男が山口屋を狙っているなどということを感づいた者がいるとは思えなかった。山口屋を観察するときは、決して目立たないよう細心の注意をはらったつもりである。二丁目のあたりで島七や手下を見かけたときは、山口屋の方には吐く息も流れないほどに用心をした。島七に感づかれているとは思わなかった。

だが男は、臆病《おくびょう》なほどに慎重な性格の人間である。あり得ないという断定を嫌《きら》った。世の中には、どんな思いがけないことだって起こり得ることも知っていた。男は島七の手下の不吉な姿からうけた不安を、ごまかさずに不安として受けとめ、それには理由があるのかどうかをたしかめようと思った。男のこの用心深さは、今夜の盗みがしぐれ町での最後の稼《かせ》ぎであるからには、まず妥当なものだったと言えよう。

日が落ちる少し前に、日常の仕事から解放された男はぶらりと町に出た。そして眼で島七の手下をさがした。男たちは間もなく見つかった。一人は昼飯を喰《く》わなかったのか、三丁目の一膳めし屋からおくびを洩《も》らしながら出て来た。二人目の男は二丁目にいた。女を相手に歯をむき出して笑いながら、世間話をしている。相手の女は祈禱《きとう》師《し》のおつなだった。

最後の手下は一丁目で見つかった。自身番に入るところだった。そのうしろ姿を横目で見ながら、男はいったん木戸を抜けて町を出た。

男がふたたびしぐれ町にもどって来たのは、日が落ちて町にたそがれのうす闇がひろがりはじめたころである。空にはわずかに日没のいろをとどめる雲がうかんでいたが、地面はうす暗く、道を行く人の影がやっと見わけられるぐらいだった。男ははっきりと目ざすところがある足どりで歩き、一丁目の中ほどで表通りから路地に曲った。そして居酒屋「おろく」の前を通りすぎて一軒のしもた屋の軒下に身体をいれると、振りむいて灯の入った「おろく」の赤提灯を見た。男は身体をくつろげて柱に寄りかかると、何かを待つ姿勢になった。

あたりが暗くなると、「おろく」にはしきりに客が出入りしはじめた。そして入江町の鐘が五ツ（午後八時）を告げてしばらくすると、今度は島七の三人の手下が赤提灯の下に現われた。彼らの近ごろお決まりの手順、見回りを切り上げたあとは「おろく」で一杯やって一日をしめくくる手順にしたがって、はやばやと引き揚げて来た様子である。

三人が店の内に姿を消すのをたしかめてから、軒下の男は道に出た。そして仕事にかかる前の腹ごしらえをするために、茶漬《ちゃづ》け屋の「福助」にむかった。不安は消え、男の頭は盗みの手順のおさらいに占められていた。

山口屋の横に蹲っている男の脳裏に、さっき見た島七の手下の姿がちらとうかんだが、すぐに消えた。男たちがまだ「おろく」にいるのか、それとも林町にあるねぐらにもどったのかはわからないが、どっちみち酒が入ってしまえばもうこっちのものだと思っていた。

男はもう一度耳を澄まして町の気配を聞き、立ち上がったと思うと軽々と塀に飛びついた。身体をひと振りして、男は塀の内側に消えた。

四

「おりきさんがいくら美人でも、主《ぬし》のあるひとですからね。ひとの物笑いになるようなことはやめてくださいな」

「何を言っているんだ、おまえは。バカも休み休み言いなさいよ。おりきさんがどうしたと言うんだ」

「とぼけたって無駄《むだ》ですよ。あんたが、いまだにおりきさんに気があって『福助』に通っていることは、ちゃんとお見通しですからね」

「いまだに？　何のことだ、あたしがいつあのひとに懸想《けそう》したというんだね」

「あんたとおりきさんは幼な馴染《なじみ》で、子供のころはひとにからかわれるほど仲がよかったそうじゃないですか」

「子供のころだって？」

疲れ切った声を出したのは、山口屋の主人惣兵衛《そうべえ》である。夫婦は寝間の暗闇の中で話していた。その声を、山口屋にしのびこんだ男は外の廊下で耳を澄まして聞いていた。

泥棒が眼をつけているのは寝間の隣の茶の間だが、夫婦が寝こまないうちはそこにしのびこむことが出来ない。泥棒もまた、山口屋の主人に劣らず女房のしつこい悋気《りんき》口にうんざりしていた。

「そんな大昔のことを言うために、眠いあたしをいつまでも起こしておくのかね。いい加減にしてくれないか」

「大昔のことじゃありませんよ」

山口屋の女房は、睡気《ねむけ》など微塵《みじん》もないきっぱりした口調で言った。

「気をつけなさいよ、あんたの旦那は『福助』に入りびたりだよって言ってくれるひとがいるんです」

「それは、ご親切にな」

「おりきさんはおりきさんで、ご亭主《ていしゅ》が遊び人で夜など家にいたためしがないそうじゃありませんか」

「よそさまのことは知りません」

惣兵衛は切り口上で言ったが、すぐにふわーとあくびの声を洩らした。

「とにかく、そのひとがおまえの耳に何を吹きこんだか知らないが、見当違いもはなはだしい。変な疑いはよしてもらいたいね」

「そうでしょうか」

「おまえは亭主を信用出来ないのかね」

「じゃ、どうしてそんなにせっせと、『福助』に行くんですか」

「……………」

「ほら、返事が出来ないじゃありませんか」

言えばいいのに、と廊下の男は黙りこんだ惣兵衛を歯がゆがっている。

この三月の間に、男は「福助」で何度か惣兵衛を見かけている。あるときは衝立《ついたて》のむこうから、同業といった風采《ふうさい》の男にこぼす惣兵衛の声が聞こえた。その声は酔っていた。

「家にいて女房の顔をみてるとね、あたしゃ息がつまるんです、ほんと。信夫《しのぶ》屋さん、あたしゃいい機会だからあんたに本音を聞かせますけどね。ここに来て一杯やる、ね、ここに来て一杯やるときだけ、ほっとひと息つくんです。これ、ほんとですよ」

一度ぐらいは腹にあることをそのとおり言ったらいいじゃないかと男は思っているが、惣兵衛の声は聞こえなかった。女房の、暗い中でもぱっちりと眼をひらいているような声だけが、途切れずに聞こえている。

「それに、こんなことは言いたくありませんけど、毎晩となれば酒代だってバカになりませんよ。いいえ、飲みに出るのがいけないと言うんじゃないんです。金を遣って変な評判をされたんじゃつまらないじゃありませんかと言ってるんです」

「あたしは寝るよ」

突然惣兵衛の憤懣やるかたないといった感じの声がしたと思うと、寝間の襖《ふすま》が荒々しく開いた。廊下にいた男は、足音もなく玄関に出る角までしりぞいている。

厠《かわや》の戸を開けしめする音、つづいて台所に行って水を飲む気配。男は惣兵衛が立てるそうした物音を、全身を耳にして聞いている。そして惣兵衛が寝間にもどって襖をしめるともとの場所にもどって蹲り、また寝間の物音に耳を澄ました。

最初に聞こえて来たのは、意外にも女房のいびきである。というのもあきらかに惣兵衛のものとわかる舌打ちが聞こえて来たからで、つづいてみしりみしりと寝返りを打つ音がするのは、言いたいことを言った上に、先にいびきまでかいて寝てしまった女房に、惣兵衛がやり場なく腹を立てているのだろうと想像がついた。

しかしその物兵衛も、じきにいびきの音を立てはじめた。女房に頭の上がらない男にしては、いびきは堂々として女房を圧倒しているのがおかしかった。用心深くその音をたしかめてから、男はやおら床を這《は》って茶の間に近づき、物音を立てずに中に入った。そして迷うふうもなく仏壇の前にすすむと、仏壇の下の押入れの戸をあけた。

予想したとおり、そこに金箱がおさまっていた。重い木箱には、頑丈《がんじよう》な錠前が取りつけてある。男は中腰の姿勢を改めて畳にあぐらをかいた。手さぐりで錠前の形、鍵《かぎ》穴《あな》の形をしらべる。つぎに懐《ふところ》から十種類もの鍵が入っている袋を取り出して膝の前におく。そこで男はほとんどくつろぐような恰好《かつこう》で、ゆっくりとあぐらを組み直した。袋から最初の鍵を取り出すと、首をかしげて鍵穴にさしこんだ。男の顔には、これから気に入った遊びに取りかかるというような、かすかに物をたのしむ表情がうかんでいる。

四半刻《しはんとき》(三十分)後、男は山口屋の塀《へい》を乗りこえて、音もなく路地に降り立った。男の懐には切餅《きりもち》一つと小判をあわせて四十両ほどの金がおさまっている。あてにしていた五十両の大台に乗りそこねたのが少し不満だったが、ま、よしとしなければなるめえよと男は思った。

頰《ほお》かむりに手をやったが、男はふと思い直し、そのままの恰好ですたすたと表通りに出た。とたんに提灯の光が眼を射た。数間先に二人の男がいて、提灯をかかげて男を見た。男は身をひるがえすと反対側に走った。一瞬の間もおかなかった。提灯を持っていたのは、島七本人と手下の一人である。

島七の鋭い叫び声が、森閑とした二丁目の通りにひびいた。男は走って行く方角の路地に提灯の光が動き、そこから人が二人表にとび出して来るのを見た。男はすぐそばの路地に走りこんだ。姿を見られるのは承知の上である。男はしぐれ町の裏に、路地から路地に抜ける迷路のような小道があることを知っていた。そういう地理はしらべつくして、手のひらを読むようにわかっている。

しかし、島七と手下もその小道を知っていれば、はさみ撃ちにあうおそれがあった。賭《か》けだった。賭けることは嫌いだったが、いまは余儀なくそこに追いこまれていた。

――罠《わな》にかかったかな。

と男は思っている。「おろく」で飲んだくれたはずの三人の手下だけでなく、島七まで深夜の町を見回っていたことに衝撃を受けていた。男は恐怖の汗で全身を濡《ぬ》らしながら、暗い路地から路地へと走りつづけた。

最後に男がたどりついたのは、しぐれ町三丁目の八幡《はちまん》さまの手前。表からちょっとひっこんだところで建て替えている料理屋の前だった。男は吐息をひとつつくと、積んである材木の間を縫って、大股《おおまた》に奥の方に入って行った。そこにある屋根と骨組みだけの建物は、昼の間の男の仕事場である。勝手知ったその建物の中を、一番奥の暗闇まで歩き、そこに置いてある筵《むしろ》を床にひろげると、男ははじめて頬かむりの布を取り、筵の上に寝た。

島七と手下たちをうまくまけたかどうかはまだわからなかった。しかし朝までこの町を抜け出すことが出来ないのははっきりしていた。男は眼をつむったが、むろん眠るつもりはまったくなかった。

朝になって、早出の職人にまじって木戸を抜けると、男は自分の住む町にもどった。台所でぬるい水をすくって飲んでいると、妹が「兄さん、いま帰ったの」と言うのが聞こえた。男はああと言った。

「ゆうべはごめんよ。親方に誘われて飲みに行ったんだ」

「そう。たまには仕方ないわよ」

男の妹は、子供のころに病名のわからない難病にかかって、いま十七だった。病気は三年ほど前から悪化し、男は医者が言う薬を高値をいとわずに飲ませているけれども、妹は寝たきりになっていた。

妹にいつもと変りない笑顔をみせるために、男は障子をあけた。

五

「あのひとも、存外頼りになりませんな」

昨夜泥棒をつかまえそこなったことを話し、さすがに肩を落としたうしろ姿を見せて岡《おか》っ引《ぴき》の島七が出て行くと、書役の万平がさっそく悪口を言った。

「泥棒と顔つき合わせて、それでも逃げられたんじゃ、ほんとにつかまえるのはいつになることやら」

「でもまあ、一所懸命にやってるようだから、そうむげにも責められますまい」

意気ごみのわりには成果が上がらない島七の捕物下手を、大家の清兵衛と万平は時どき茶飲み話のついでにこきおろすことがあるが、清兵衛は今日は島七の肩を持った。

万平の言うとおり、泥棒《どろぼう》とばったり顔を合わせて、しかもうしろにも手下がいてはさみ撃つ恰好になりながらまんまと逃げられたというのは、どう考えてもいただける話ではなかったが、そのあと島七は虱《しらみ》つぶしにしぐれ町をさがし回って朝まで眠らなかったらしい。くやしくて眠れなかったのだ。

その疲れとくやしさが、四十男の島七の顔ににじみ出ていたのを清兵衛は見ている。

これ以上責めては酷だという気持がしたのだが、万平はもっと手きびしかった。

「いくら一所懸命に走り回っても、肝心の泥棒がつかまらないんじゃ話になりませんよ」

「それはそうです」

清兵衛はうなずいた。島七をかばってはみたものの、清兵衛にもそう言いたい気持がないわけではなかった。

「つかまらなきゃ話になりません」

「清兵衛さんもご存じのように、あの島七というひとは、ふだんぬかりなく町々から小遣いをせしめてますからな。小遣い分は働いてもらわんと」

「そうそう。家《うち》なんかも、見回りに来たと言われれば大概一分《ぶ》は包みますからね」

「一分も……」

万平は顔をしかめた。そして急にあいたたと言って本物の渋面《じゅうめん》に変ったのは、例によって持病の神経痛が起きて来たのかも知れなかった。

「どうしました？」

「いや、大したことはありません」

どうにか痛みをやりすごしたらしい万平が、顔を上げて清兵衛を見た。

「一分は、ちょっと多すぎませんか」

「しかしあのひとも、使っている男たちに小遣いをくれなきゃならないでしょうしね」

「ああ、あの連中……」

万平は鼻を鳴らした。

「仁助《にすけ》に敬太、富次郎。みんな怠け者で決まった職というものがないから、遊ぶ金欲しさに島七にくっついているだけですよ。町があの連中の小遣い銭まで面倒みることなんぞありません」

「万平さんは、じつにどうも……」

清兵衛は感心して言った。

「そういう消息におくわしい」

「なあに、そんなこともありませんけど……」

万平は清兵衛にほめられてもさほどうれしくはないのか、むっつりした顔で言った。

「とにかくあのひとには、もうひとふんばりしてもらわないと。こんなことでは、三丁目の寅太《とらた》にも劣りますからな」

「寅太？」

突然に出て来た人の名前に、清兵衛はとまどって万平の顔を見た。

「三丁目の寅太というと？　亀《かめ》屋の？」

「そう、一膳《いちぜん》めしのご亭主」

清兵衛は、一膳めし屋の眉《まゆ》が太くて赤っつらの主人の顔を思いうかべた。寅太という名前の主人は、声が大きくて元気な男だが、いつも料理場の奥にいて、めったに町に出て来ることはない。

それはともかく、清兵衛は島七の話の途中に、なぜ一膳めし屋が出て来るのかわからない。

「あの寅太がどうかしましたか」

「とうとう犯人を突きとめたそうです」

と言ってから、万平はいくらか気がさした顔いろになり、犯人はちと言いすぎましたなと言った。そして言い直した。

「ほら、妹のおまつを孕《はら》ませた男ですよ。その男が見つかったのです。まだ聞いてませんでしたか」

「いいえ」

清兵衛は、まじまじと万平の顔を見た。このひとの地獄耳は本物だと思っていた。

足が痛む、腰の筋をたがえたとしじゅう弱音を吐き、町を出歩く様子もないのに、そういううわさ話を、いったいいつどこから仕入れるのだろうか。

　われに返って、清兵衛はそれでと言った。

「相手は誰《だれ》ですか。まさか、町内の所帯持ちなんかじゃないでしょうね」

「それがです、とても大きな声じゃ言えません」

　万平はもったいをつけ、二人のほかには人もいないのに声をひそめた。

「清兵衛さんには、おそらく見当もつきますまい」

「……」

「種物屋の吉助《きちすけ》さん」

「三丁目の……、まさか」

　と清兵衛は言った。

　種物屋の主人吉助は四十半ばといった年配だが、どちらかといえば堅物《かたぶつ》の印象をあたえる商人である。そら豆のようにあごのしゃくれた顔をうつむけて、自分で店先を掃いている姿を清兵衛は見たことがあるが、商い熱心の評判は耳にしても、吉助が女に手がはやいなどということは聞いたこともない。

　思わずまさかと言ったのは、吉助のそういう人柄《ひとがら》と髪が赤くて鳩胸《はとむね》、出《で》っ尻《ちり》、男のように太い声を持つおまつの姿がどうにも結びつかない気がしたからだが、ひとつだけ、清兵衛にも心あたりがないわけではなかった。吉助は三年前に病気で女房《にょうぼう》を亡《な》くしている。心さびしい男やもめの境遇ではある。

「それが事実で……」

と清兵衛は言った。

「孕んだのが吉助さんの子だとなると、これは吉助さん、かなり分がわるい」

「寅太がかんかんに怒ってるそうです」

「当然ですな。しかし、それにしても……」

清兵衛は首をひねった。

「あの二人が、いったいどういう拍子で結びついたものでしょうね」

「それがね、清兵衛さん。男女の仲ほど不可思議なものはありません」

机の上に身を乗り出した万平を見て、清兵衛はちょっと待って、熱いお茶でもいれましょうやと言った。

町内の所帯持ちが、おまつをからかって子を孕ませたなどということになると、話は大いにもつれて仲裁に駆り出されるおそれもあるけれども、相手が男やもめの吉助とわかれば、清兵衛の出る幕ではない。吉助が自分で身の始末をつけるべきだった。

そして仮りにおかしな雲行きになっても、間に割って入るのは三丁目の大家である。

そう思うと、清兵衛はいっぺんに気が楽になった。話は対岸の火事である。こっちに延焼して来るおそれはないと決まれば、ここは熱いお茶でもすすりながら話を聞きたいところである。万平に背をむけて、清兵衛は新しくお茶をいれた。

寒がりの万平を気遣って火鉢《ひばち》には火が入っているが、今日はその火鉢もいらないほどのあたたかい秋日和《あきびより》だった。善六が用足しに出たあと、道をたずねる者もおとずれて来ない自身番の中は、障子にじっと日射《ひざ》しがとどまり、火鉢の鉄瓶《てつびん》がかすかに湯のたぎる音をたてているばかりで、二人が話をやめると耳鳴りするほどに静かだった。

清兵衛は万平の机に、新しく茶をついだ茶碗《ちゃわん》をのせた。そして自分もひと口すすって茶碗を置くと、手を揉《も》みながら言った。

「さて、では二人の馴《な》れ染《そ》めのあたりから話を聞きましょうかな」

六

だが種物屋の吉助にとっては、おまつとの一件は馴れ染めなどというのどかな話ではなかった。吉助には、おまつが自分の子を妊《みごも》ったということも、そのもとになった一夜の記憶も、ことごとく悪夢としか思えない。

ついでに、亀屋の茶の間に呼びつけられて、こうして頭をさげているのも、ひょっとしたら夢のつづきと思いたいほどだったが、それが夢でない証拠に、また怒気をふくんだ寅太の声が聞こえて来た。

「さあ、近江屋《おうみ》さん、そろそろぎりぎり決着の返事を聞かせてもらいましょうか」

「だから何度も言いましたように……」

吉助はちらりと眼《め》を上げた。寅太は大きな眼をいっそう大きく剝《む》いて、腕組みしてこちらを睨《ね》めつけている。そしておまつは寅太の斜めうしろに、こっちに横顔を見せながらうつむいて坐《すわ》っている。

そのずんぐりむっくりした身体《からだ》が、起き上がり小法師のように見えて、吉助の気持はさらにくらくなる。

「何とかここは、お金でもって……」

「お金はいりませんと申し上げました」

大きな声で寅太がさえぎった。

「しがない一膳めし屋をしておりますけれども、不肖《ふしょう》亀屋、お金に不自由はしていません。まして妹の不始末をネタにお金を頂いては、あたしの男がすたります」

「しかし……」

寅太の大声におびえながら、吉助は懸命に言い返した。

「だからといってほかにあたしの誠意をみとめてもらえる法がありますか。あるならおしえてくださいよ、亀屋さん」

「あるじゃないですか、ちゃんと」

憤然と寅太が言った。

「誠意などとごりっぱなことをおっしゃるならですよ、近江屋さん、何にも言わずにおまつを引き取ってくれることです。それがそもそもの筋というものじゃないでしょうか」

「それは出来ません。ごかんべんください」

「そこがおかしいんだよね、近江屋さん」

寅太がうす笑いして吉助を見た。笑顔の間からいまにも堰《せき》を切りそうないら立ちがほの見えて、寅太のうす笑いには凄味《すごみ》がある。

「あんた男やもめでしょ？　あたしはね、あんたが所帯持ちならこんなことは言いませんよ。出来ない難題をふっかけてもしょうがない。あんたが言うお金ももらいます。生まれた子供は仕方ないからよそにくれてやり、妹は、かわいそうだが泣き寝入りさせます」

「……」

「でも、あんたは男やもめだ。ご自分の子を孕んだおまつを家にいれてどこがわるいんです」

「……」

「世間体ですか。冗談じゃない」

寅太は吐き捨てるように言った。

「あんたもおまつも、それにこのあたしもですよ、もうさんざん世間の物笑いになってるじゃありませんか。いまさら体裁をつくったってしょうがないでしょ。仮りにね、あんたがおまつを引き取って夫婦になったところで、もう誰もおどろきはしませんよ」

「娘が……」

と吉助は言った。だが、言いかけたまま絶句した。

吉助は今朝、一人娘のおうめにおまつを家に入れるなら自分が家を出ると、きっぱりと宣告された。寅太の脅しに屈すれば、吉助は先には女房を失い、今度は十七まで育てた娘を失うのである。おうめは本気で家を捨てるつもりだろうかと、そのことを考えるだけで吉助の胸は、おそれとかなしみでいっぱいになる。

「娘さん？　おうめさんがどうかしましたか」

「もしあたしがあんたの言うことを聞いたら、家を出ると言うんです」

「そんなのは脅しですよ」

寅太は自分のことは棚《たな》に上げて、ことなげに言った。

「大事のおとっつぁんを置いて、娘一人どこに行けるわけがない。もっとも、どうしても出たいというときは、それはそれで仕方ないんじゃないですか。おまつが子を生めば、ナニですよ、その、近江屋の跡取りということじゃ一応心配いらんわけだし……」

吉助は耳をふさぎたかった。どうしてこんなめちゃくちゃなことになったのだろうかと思ったが、こうした一切が、あの一夜の過ちから来ていることは吉助にもはっきりと見えていた。

半年ほど前のその夜、吉助は泥《どろ》のように酔って、亀屋の店の隅《すみ》で眠ってしまったのである。おまつに揺り起こされたときは、店にはほかに人がいなかった。吉助はおまつに起こしてくれた礼を言い、勘定を払って帰ろうとしたが、金を数えるどころか腰がくだけて立ち上がることも出来なかった。飯も喰《く》わずに、すき腹に飲んだせいである。

「上にあがって、ひと眠りしたら」

見かねたらしく、そのときおまつが言ったのである。おまつは、兄夫婦も子供も、嫂《あによめ》の実家の祝いごとに出かけて今夜は留守だとも言った。

「今夜はあたしとおつぎだけ。気がねはいりませんよ、近江屋さん」

「はばかりながら、ではお言葉に甘えて……」

吉助はおまつの肩を借り、亀屋の茶の間の横にあるおまつの部屋に、のめるようにして入りこんだ。

そしてつぎに目ざめたときは、吉助は着のみ着のままで夜具に寝かされていた。そしてそばには、やはり帯も解かずにおまつが眠っていたのである。おそらく吉助が目をさますのを待っているうちに、睡《ねむ》けに堪えきれなくなって夜具にもぐりこんだのだろうと思われた。

——これは、したり……。

と吉助は思った。狼狽《ろうばい》していた。おまつと同衾《どうきん》したなどということが、人に知れたらえらいことになると思っていた。だがそう思いながら、吉助はすぐには起き上がらずにじっと横たわっていた。

有明行燈《ありあけあんどん》の光に、おそなえ餅《もち》のように大きいおまつの胸が、ゆっくりと上下するの

そして少し行ってから振り返ってみたが、新蔵の眼に入って来たのは赤い光だった。その光の中を、新蔵と同じように大きな仕入れ荷を背負った庄吉《しょうきち》が、少しおくれてついて来る。そして庄吉のうしろにも、女が一人、男が二人歩いて来るのが見えたが、逆光のために、その人たちは黒い影にしか見えなかった。新蔵は庄吉が追いつくのを待って、もうちょっとの辛抱だぞとはげました。

新蔵には見えなかったが、ずっとうしろから来る大家の清兵衛には、重助が誰を見つけて待っているのかが見えた。清兵衛の十間ほど前を、風呂敷包みをさげて歩いているのは、家出した重助の女房おはつである。

清兵衛が見ていると、重助に気づいたおはつがいっさんに走り寄り、包みを下に落とすと年甲斐《としがい》もなく亭主の胸にとびついて行った。そこで重助が、不義女房のほっぺたのひとつも張るかと見ていると、何ということだ、重助がまた人目もはばからず女房の背を抱えてやっているではないか。

あれの人のいいのにはあきれて物も言えないと清兵衛は思ったが、一方で重助のような男もいなくては、世の中つまるまいという気もした。肩をならべて先を行く二人に近づきすぎないように、清兵衛はゆっくりと歩いて行った。

対談　藤沢文学の原風景

本所しぐれ町

藤沢周平・藤田昌司

藤田　今度の作品『本所しぐれ町物語』は、表店《おもてだな》、裏店に住む町民たちの日常に生起するさざ波のような出来事を通じて、町民たちの哀歓、人情の機微をきめ細かく描いている、そういう作品として読ませていただきました。

藤沢　時代小説のいろんな拵《こしら》えからちょっと気持が離れて、なるべく普通の世の中で起り得ることを書いてみたいと思ったのです。

藤田　それだけに、人間の陰影が非常に深く彫琢《ちょうたく》されているように感じました。

藤沢　日常性に近づいた分だけ、そういう味わいは出たのではないかという気はしています。

藤田　今までにもいろいろシリーズものをお書きになっていますが、今回のように本所しぐれ町という一つの町に舞台を設定したシリーズは珍しいのではないですか。そこに住む町人たちの一人一人が、あるときは主役になり、主役になった人物が次の場面では脇役《わきやく》にまわりというように展開する作品は……。

藤沢　初めての試みですね。現実の町を書くよりも架空の町を設定したほうが、膨みがでていろんな人間が書けそうな気がしたのです。

藤田　いかにもありそうな町名なので、しぐれ町がどこにあるのか、地図を調べてみましたが、まんまとひっかかったわけですね（笑）。

藤沢　本所には竪川《たてかわ》があり、その南岸に林町や徳右衛門町はあるのですが、しぐれ町はないのです。最初から場所はその辺を考えていたのですが、名前にはてこずりました。

藤田　しぐれ町というのはとてもいい名前ですね。この作品は大家《おおや》の清兵衛さんと書《か》き役《やく》の万平さんが、狂言回しになって話が進んでいくわけですが、万平さんが体のあちこちを痛がっていますね。あれはなんとなく作者の日常性の反映のような気がしたのですが（笑）。

藤沢　そうです。「波」で連載がスタートしたころは、体調がおもわしくなくて、すぐに腰が痛くなったりしましたから。

藤田　万平さんは、なんともいえない味のある狂言回しですね。町の生き字引で、町のことなら隅《すみ》から隅までよく知っている。それと町の噂《うわさ》が集まる情報交換の場としての機能を飲み屋の「福助」に持たせている。物語は全部で長短取りまぜて一ダース。登場人物は、小間物屋の若主人とか、御隠居さんとか、お妾《めかけ》さんとか、あるいは脇役として岡《おか》っ引《ぴ》きが登場したりということで、話がそれぞれおもしろく展開する。一つの作品に一ダースもの話がある。こういうプロットは、どうやって考えつくわけですか。あまり手のうちをのぞくのはいい趣味ではないかもしれませんが、ひとつ「フォークス」の顰《ひそみ》に倣《なら》って……(笑)。

藤沢　どういう話にしようかは、毎回苦しんだわけです。どうにも考えつかないときには、「ふたたび猫《ねこ》」とか「みたび猫」とかいうように、前の話を持ってきてまたいじってみたり。最初からのプロットは何もなかったんですよ。ただ、非常に自由な形の連載を許してもらっていましたから。こういう自由な連載は初めての経験なのです。そういう意味で、苦しんだ割には楽しく書けました。

藤田　「猫」「ふたたび猫」「みたび猫」「おしまいの猫」なんて出てきますけれども、あれは読んでいて非常におもしろい意図だなと思いましたが、そうしますと、あの辺はかなり苦労なさったわけですね。

藤沢　次のプロットが思いつかないときに、ちょっと一服しようと、緩衝剤みたいな意味もかなりありました。だから、いいプロットを考えようと思いながら、一年も二年も過ぎてしまったというのが実感ですね。

人間の弱さへの共感

藤田　この作品に登場する人物は、たとえ悪党であっても悪党に徹し切れない、そういう人間がほとんどですね。桁外《けたはず》れな悪党はいない。例えば、冒頭の「鼬《いたち》の道」では、十数年も家をあけてやくざな渡世をしてきた半次という男が、大阪訛《なま》りと生活のやつれを身に添わしてふらっと戻《もど》ってくる。呉服商いで細々と身を立てている兄貴の新蔵の家に転がり込んで、兄夫婦に迷惑をかけるが、その半次もやがてどこへともなくまた去っていく。この半次も悪党ではなくて、食い詰めて、どこか哀れを留《とど》めている。

藤沢　年のせいかもしれませんが、あまり悪辣《あくらつ》な人間を書くのが嫌《いや》になりました。若いときには、そうでもなかったのですが。やはり年をとりますと、なるべくあくどい人間を見たくない、そういう感じが今度の作品には、だいぶ反映していると思います。泥棒《どろぼう》なんかでも救ってしまったりして……。

藤田　読んでいて非常に楽しかったのは、小間物屋の若旦那《わかだんな》の栄之助の話なんです。栄之助は、逃げられた女房《にょうぼう》を女房の実家に頭を下げて連れ戻しに行くのですが、そこでけんもほろろの扱いを受ける。「ちくしょうめ」と捨鉢な気持でいる、その帰りしなにある男のお妾さんに会い、そのおもんという女につい熱をあげてしまって人目を忍ぶわりない仲になってしまう。ああいう人間のどうしようもない弱さに共感してしまうのです。

藤沢　そういう弱さがあるからこそ、人間はいとおしくていいのではないでしょうか。みんな清く正しくでは、これは困りものです。

藤田　御隠居さんが、「福助」の酌取《しゃくと》り女に肩や腰をもんでもらっているうちに、女のふくよかな乳房が体に触れ、年がいもなく血が騒ぐ。これも人間っていつまでも仕方のないものだなと、共感を持って読んだのですが。

藤沢　ぼけちゃってそのままではかわいそうですから。いくらか救ってやらないと。人間救いがないと哀れだなと、最近そういう気持が強いですね。ですから、今度の作品は、結末がだいたいにおいて甘いのです。

藤田　でも、それで読者は救われるんですよ。例えば小さな女の子がおりましたね。

藤沢　おしんですか。本にするときには、おきちと名前を変えましたけど。

藤田　年端《としは》もいかないのに、非常にけなげに、おやじの借金を払うために自分で決めて身売りをする。そういう悲劇的な話なんですが、結局最後に「菊本」の旦那が救ってくれて、苦界に身を沈めなくて済む。この結末なんかやはりほろっとさせます。

藤沢　今でもそういう子供は案外いそうな気がして、そのまま突きはなすのはかわいそうな気がします。ですから、さっきも言いましたように、いろんな意味でこの小説には、年齢的なものがかなり反映されています。

藤田　今年還暦でいらっしゃいますね。つまり還暦の投影ですか。

藤沢　そういう感じですね。特に還暦を意識するわけではありませんが、今年の正月に私は「一日を全《まっと》うする」ということを考えました。朝起きて夜寝るまで一日を全う出来ればよしとすべきだという意味です。いつどういうことがあっても不平は言えない年齢に達したことはたしかですね。

読書と映画

藤田　この作品でまた新しいジャンルを開かれたわけですけれども、藤沢文学は今までにも多様な展開を示してこられたと思うのです。市井《しせい》物あり、武家物あり、剣客小説もあれば伝奇的なものもある、『一茶』のような伝記文学もある。その背景、底流には、お若いころからのおびただしい読書体験があるのではないかと思うのですが。

藤沢　立川文庫はもちろん、姉の持っていた恋愛小説のようなものまで読んでいました。

藤田　いろいろなプロットを思いつかれるのは、少年時代からの乱読が肥《こ》やしになっているのでしょうね。

藤沢　書いているものは時代小説がほとんどですが、読んだものは時代小説に限らず、あらゆる文学をとにかく手当り次第に読みました。そうして溜《たま》ったものが出てきているような気がしています。一例を挙げますと、よく裏店の出てくる作品を書きますけれど、これはウージェーヌ・ダビの『北ホテル』の感じで書いているのです。

藤田　猛烈に映画を観《み》た時期がありましたね。山形師範に行かれていたころですか。

藤沢　そうです。勉強もせずに毎日映画ばかり観ていました。

藤田　小説を書きながら、映画のシーンがふーっと浮んでくることがあるのでは……。

藤沢　たしかにそういうことはあります。ただ、そのつながりがなかなか複雑で、そのままの形では出てきません。ある断片がヒントになったりはしますけれども。西部劇で馬に乗った人間が草原を行くシーンが、江戸の町を悪党が歩いていくシーンに結びついたり。でも、意識的に真似《まね》をしたらもっといいものができるのではと思い、一度「秘剣」シリーズでやってみたことがあります。今は刀も振り回せないほど衰えてしまった男が、昔の恨みでねらわれる。友達に助けを求めても、みんなそっぽを向いて、だれも助けてくれる人がいない。それで、せっぱ詰まってまた剣の修行を始めて敵を迎え討つ。ご存知のように、これはゲーリー・クーパーの『真昼の決闘』をもじったわけです。ところが、この作品が一番できが悪かったんです。意識的に使ったのではだめなんですね。

藤田　むしろ漠然《ばくぜん》と背景になっているほうが生きてくる……。

藤沢　『逢《あい》びき』の別れのシーンが、ぽっと市井物の一シーンに出てきたりする。映画と作品のつながりは、そうしたものですね。

藤田　推理小説もかなりお読みになったのでしょう。どの辺のものを主に読まれたのですか。日本のものと、外国のものと分けますと。

藤沢　両方読みましたけれど、最近は外国のものがおもしろいですね。

藤田　ハードボイルドはいかがですか。

藤沢　かなり熱心に読みました。

藤田　これは意外でした。ハードボイルドは体質に合わないのではと思っていましたが。
藤沢　チャンドラーやマクドナルドはほとんど全部といっていいほど読みました。
藤田　ハードボイルドは、あまり作品には影響を及ぼしていないのではないですか。
藤沢「彫師伊之助捕物覚え」シリーズは、そのつもりで書いたのですけれども、その気分がなかなか移ってきませんね。
藤田　あの作品は、チャンドラーにちょっと影響を受けた作品だったんですか。
藤沢　実をいいますと、そうです。初めは意識して組み打ちの場面を強調してみたり、陰のある男らしくつくってみたりしました。
藤田　やはり藤沢文学の人物になってしまってますね。
藤沢　ハードボイルドにはユーモアが大事なんですよ。江戸の市井物ででも出せるはずなんですが、苦労しました。
藤田　体質の違いがあるのかもしれませんね。
藤沢　たとえば逢坂剛《おうさかごう》さんの『カディスの赤い星』は、ハードボイルドの小粋《こいき》なユーモアを実にうまくとらえています。
藤田　時代小説でハードボイルドというのは、なかなか難しいのかもしれないですね。
藤沢文学は、どちらかというと乾いてなくて、ウェットで湿りけがあってという感じですから、理由もなしに笑って人を斬るような、そういう感じにはならないと思います。

藤沢　ちょっと無理でしょう（笑）。

故郷庄内の風土と歴史

藤田　藤沢作品にもう一つ影響を与えているのは、生れ故郷庄内の風土だと思うのですが。庄内には、私も一年ほど住んだことがありますので、非常によくわかるのですが、藤沢さんの作品を読んでいますと、ここはなんとなく庄内だな、ここは鶴岡《つるおか》だなという感じを持つことがよくあります。

藤沢　半分は無意識なんですが、やはり向うの景色とか、そういうものが入ってきます。こだわる、こだわらないは別にして、根っこは、向うにあるわけですから。

藤田　精神形成の基盤は、庄内の風土にある。

藤沢　そうだと思います。若いうちには、そういうものが嫌で、なるべく離れようとしたわけですけれども、そんなに簡単に切れるものではないし、切る必要もないと思うようになりました。

藤田　エッセイで、庄内の人間はみんないい人間だというけれども、そんなことはない、いい人もいれば悪い人もいるのだということを書いておられたと思うのですけれども、しかし比較的庄内の人はいい人が多いですね。
藤沢　この前鶴岡で講演したときに言ったのですが、庄内は昔から米なども多くとれて、比較的暮しは楽な土地だったんです。そういう豊かさが、人間をおっとりとさせている。何かのんびりした土地柄《がら》だと思いますよ。
藤田　『回天の門』という歴史小説がございますが、やはり郷土の歴史に対して関心というより理解をお持ちですね。否定的ではなく肯定的に見ていらっしゃる。清川八郎などに対しても。
藤沢　清川八郎は悪く書かれ過ぎていますから、少し弁護したところもあります。
藤田　雲井龍雄《たつお》に対しても共感を示していらっしゃる。そうしたことをひっくるめて考えてみますと、やはり故郷庄内の風土と歴史が非常に色濃く作品に投影されていますね。
藤沢　そういう影響は案外強いのです。

藤沢文学の魅力

藤田　藤沢さんの初期の作品は暗い情念に閉ざされたものが多いと思うのです。それが、『用心棒日月抄』や『一茶』をお書きになった前後から、そういう負《ふ》の情念から解放されてきた。そういう感じを持ったのです。その時点で暗い情念から作者自身も解放されてきたと見てよろしいでしょうか。

藤沢　正直言いまして、小説を書くことで救われたという気はしますよ。

藤田　それにもかかわらず、登場人物はそれぞれ、暗い宿命を背負っていたり、孤独な陰を引きずっていたり、そういう基本的なキャラクターは変っていませんね。

藤沢　そういうものが私の持ち味というか、世界なんですね。

藤田　強い人間ではなくて弱い人間、孤独な人間、時にはだらしない人間、そうした人間にシンパシーを感じる、そういうところが藤沢文学の大きな魅力になっていると思います。司馬遼太郎さんの小説は、エグゼクティヴ志向のビジネスマンに読まれる要素が強い、その反面、藤沢さんの小説は、もう先が見えてしまったようなサラリーマンに共感を持って読まれるのではないかと思うのです。

藤沢　さっき小説で救われたといいましたけれども、それは傷口がふさがったということで、傷跡もなにもなくなって万歳というわけではないのです。そういう気持が弱者に向かわせるのではないかと思うのです。何か救いがあるのだということを、自分も含めて信じたいですね。そういうものを書きたいです。

藤田　造形する人物だけではなくて、実在の人物に対しても同じような惹《ひ》かれかたをしているのではないですか。『一茶』『白い瓶』は、いい例だと思うのですが。

藤沢　一茶は最後に救いがあるからまだいいですが、長塚節《ながつかたかし》は肺病で結婚もできずに死んでゆく。そういう人物のどこかに救いがなかったのかという気分で見る傾向が強いですね。ですから、どんどん出世していくような人の物語は割に不得手なんです。

藤田　英雄豪傑には全く無縁ですね。司馬遼太郎さんは、自分は歴史を高いビルの上から交差点を歩いている人物を見ているような感じで見ているのだというようなことをおっしゃっていましたが、藤沢文学における歴史は、地べたから雑踏を見上げるような、そういう感じがしてしようがないのですが。

藤沢　私の場合は、視点はそっちのほうにあるでしょうね。

藤田　最後にこれからの小説の展開ということについてお伺いしたいのですが、『密謀』で初めて戦国時代を書かれたわけですけれども、時代としては現在のところはどの辺に興味をお持ちですか。

藤沢　今さしあたって興味があるのは、信長以前の時代です。

藤田　室町あたり……。

藤沢　そうですね。それが小説と結びつくかどうかわかりませんが、室町時代をふくめた中世に非常に興味があります。

藤田　どんな点に興味をお持ちなのですか。

藤沢　混沌《こんとん》としたわからなさみたいなものです。あの時代に人間のドラマがむき出しに出てきたような気がするのです。戦に次ぐ戦で、それでも救いがあったのかどうか、そんなことが気になってしようがないのです。

藤田　ぼちぼちお調べになっているのですか。

藤沢　その時代のことを読んでいるところなんです。

藤田　これは藤沢文学にとって新しいジャンルになってきますね。

藤沢　何だか今すぐにでも書くような気分になってきましたけれども（笑）。ちょっと考えていることがある。今はその程度です。

藤田　今後の展開を楽しみにしております。

（「波」昭和六十二年三月号に掲載された対談を転載しました）

この作品は昭和六十二年三月新潮社より刊行された。

鶴岡市立 藤沢周平記念館 のご案内

藤沢周平のふるさと、鶴岡・庄内。
その豊かな自然と歴史ある文化にふれ、作品を深く味わう拠点です。
数多くの作品を執筆した自宅書斎の再現、愛用品や肉筆原稿、
創作資料を展示し、藤沢周平の作品世界と生涯を紹介します。

利用案内

所在地　〒997-0035 山形県鶴岡市馬場町4番6号（鶴岡公園内）
TEL/FAX　0235-29-1880/0235-29-2997
入館時間　午前9時〜午後4時30分（受付終了時間）
休館日　毎週月曜日（月曜日が休日の場合は翌日以降の平日）
年末年始（12月29日から翌年の1月3日）
※臨時に休館する場合もあります。
入館料　大人300円［240円］高校生・大学生200円［160円］
※[] 内は20名以上の団体料金です。
年間入館券1,000円（1年間有効、本人及び同伴者1名まで）

交通案内

・庄内空港から車約25分
・JR新潟駅から羽越本線で
JR鶴岡駅（約100分）
駅からバスで約10分
市役所前バス停下車
徒歩3分

車でお越しの方は鶴岡公園周辺の公共駐車場をご利用ください。（右図「P」無料）

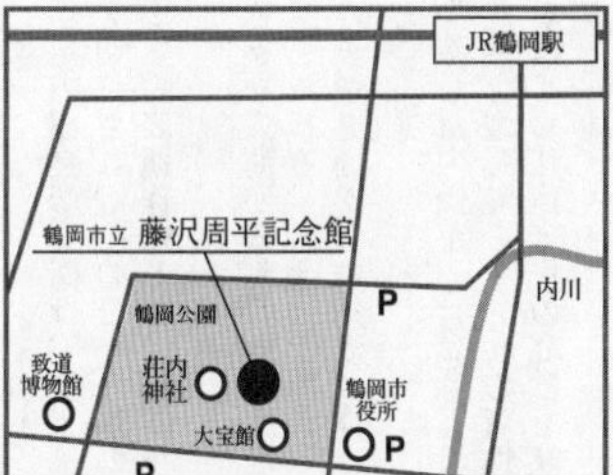

— 皆様のご来館を心よりお待ちしております。—

鶴岡市立 藤沢周平記念館

http://www.city.tsuruoka.yamagata.jp/fujisawa_shuhei_memorial_museum/

藤沢周平著　消えた女
―彫師伊之助捕物覚え―

親分の娘おようの行方をさぐる元岡っ引の前で次々と起る怪事件。その裏には材木商と役人の黒いつながりが……。シリーズ第一作。

藤沢周平著　春秋山伏記

羽黒山からやって来た若き山伏と村人とのユーモラスでエロティックな交流――荘内地方に伝わる風習を小説化した異色の時代長編。

藤沢周平著　時雨みち

捨てた女を妓楼に訪ねる男の肩に、時雨が降りかかる……。表題作ほか、人生のやるせなさを端正な文体で綴った傑作時代小説集。

藤沢周平著　孤剣
用心棒日月抄

お家の大事と密命を帯び、再び藩を出奔――用心棒稼業で身を養い、江戸の町を駆ける青江又八郎を次々襲う怪事件。シリーズ第二作。

藤沢周平著　驟《はし》り雨

激しい雨の中、八幡さまの軒下に潜む盗っ人の前で繰り広げられる人間模様――。表題作ほか、江戸に生きる人々の哀歓を描く短編集。

藤沢周平著　密謀（上・下）

天下分け目の関ケ原決戦に、三成と密約がありながら上杉勢が参戦しなかったのはなぜか？　歴史の謎を解明する話題の戦国ドラマ。

本所《ほんじよ》しぐれ町物語《ちようものがたり》

新潮文庫　ふ-11-20

平成二年九月二十五日発行
平成十九年九月五日四十九刷改版
平成二十三年三月十五日五十九刷

著者　藤《ふじ》沢《さわ》周《しゅう》平《へい》

発行者　佐藤隆信

発行所　株式会社新潮社

郵便番号　一六二―八七一一
東京都新宿区矢来町七一
電話　編集部(〇三)三二六六―五四四〇
　　　読者係(〇三)三二六六―五一一一
http://www.shinchosha.co.jp

価格はカバーに表示してあります。

印刷・大日本印刷株式会社　製本・憲専堂製本株式会社

ISBN978-4-10-124720-5 C0193

新潮文庫最新刊

川上弘美著
ざらざら
不倫、年の差、異性同性その間。いろんな人に訪れて、軽く無茶をさせ消える恋の不思議。おかしみと愛おしさあふれる絶品短編23。

三浦しをん著
きみはポラリス
すべての恋愛は、普通じゃない——誰かを強く大切に思うとき放たれる、宇宙にただひとつの特別な光。最強の恋愛小説短編集。

島本理生著
あなたの呼吸が止まるまで
十二歳の朔は、舞踏家の父と二人暮らし。平穏な彼女の日常をある出来事が襲う——。大人へ近づく少女の心の動きを繊細に描く物語。

小澤征良著
しずかの朝
恋人も仕事も失った25歳のしずか。横浜の洋館に暮らす老婦人ターニャとの出会いが、彼女を変えていく——。優しい再生の物語。

唯川恵著
いっそ悪女で生きてみる
欲しいものは必ず手に入れる。この世で一番好きなのは自分自身。そんな女を目指してみませんか？　恋愛に活かせる悪女入門。

平松洋子著
おとなの味
泣ける味、待つ味、消える味。四季の移り変わりと人との出会いの中、新しい味覚に出会う瞬間を美しい言葉で綴る、至福の味わい帖。